新 潮 文 庫

ここまできた新常識

赤ちゃん学を知っていますか？

産経新聞
「新・赤ちゃん学」取材班

版

「来年は赤ちゃんでいこう」――まえがきにかえて

石野伸子（産経新聞大阪本社編集局次長）

それは二〇〇一年も暮れようとする十一月の半ば。編集局では、そろそろ次年度の年間企画を練り上げる時期に入っており、朝刊生活面を担当するスタッフも、じっくり連載できるテーマを探っていた。

その年、二〇〇一年九月十一日には、ニューヨークの世界貿易センタービルを崩壊させ、約三千人の犠牲者を出すなど大惨事となった米中枢《ちゅうすう》同時テロが起こっており、十月にはテロ組織の軍事拠点があると見て、米英軍によるアフガニスタン空爆が行われたばかりだった。

来《きた》る新年も、世界は不穏な空気に覆《おお》われることになるのだろうか。それならば、暗雲を吹き飛ばし、生きていく力を確認するような前向きの企画をやりたい。スタッフの間にはそんな気分が充溢《じゅういつ》しており、その中から唐突にあがってきたのが次の言葉だった。

「来年は赤ちゃんでいこう」

だれが言ったのか。いまとなってははっきりしない。しかし、「それ、いいんじゃないの」という了解が、一瞬のうちに、みんなの心にストンと落ちた。赤ちゃん、これこそ、まさに未来そのもの。可能性の源だ。

唐突だとはいっても、いくらかの前提はあった。ひとつはなんといっても、その年の十二月に、皇太子ご夫妻に初めてのお子さま誕生という国民的慶事をひかえていたこと。成長の過程は人々の大きな注目を集めるはずで、赤ちゃんへの関心は、そのままベビーブームの到来につながるだろうというジャーナリスティックな予感があった。

もうひとつは、話し合いの中で、アメリカの総合雑誌で赤ちゃん特集をしたところ大変な反響があったということが話題にのぼり、何か赤ちゃんの周辺には新しい動きがあるらしい、という直感のようなものが働いた。まずはその辺を探るところから始めてみよう、と企画準備に入った。

新聞の連載企画というのは、案外そんな風に唐突に始まり、ツボにはまることがあるものだ。「赤ちゃん」は調べ始めると、なかなかのヒットだった。

まず、赤ちゃんに関する研究はいま世界中で盛んに行われていて、新しい成果が次々と発表されているらしいこと。それというのも、ここ十年近く脳科学の研究が進んできて、その過程で赤ちゃんにアプローチする手法も新しくさまざまに開発され、徐々に「赤ちゃん学」として成果が積み上げられている、ということなどが分かってきたのだ。

日本でも二年ほど前に「日本赤ちゃん学会」が設立され、その第一回学術集会は、その年の四月に東京で初めて開催されたばかりで、七百人の参加を得て大変な盛況だった、ということもわかってきた。

これはいける。こうして私たちは「赤ちゃん学」に出会い、「日本赤ちゃん学会」の研究者に出会い、その全面的協力を得る形で連載を企画した。新年からのスタートに向け、十二月はじめにはアメリカとヨーロッパへ、記者たちが取材にでかけた。「えっ、もう海外取材に行くの?」――それは、あれこれと相談にのっていただいた日本赤ちゃん学会の先生たちも驚くほどの早業だった。

この本は、二〇〇二年一月から十二月まで、一年間にわたって産経新聞朝刊に連載された「新・赤ちゃん学」を、ほぼそのままの形で一冊にまとめている(文庫化にあたり、その後も続いている連載の一部を「第七部　知覚も育つ」として追加した)。

「赤ちゃん学」は日本でもまだ新しい学問領域で学会も誕生したばかりだったが、連載のタイトルに「新・赤ちゃん学」と、新をつけたのは、目新しさを求める新聞のくせのようなもの。いつだったか、日本赤ちゃん学会の小林登・理事長(東京大学名誉教授)に、「なぜタイトルは新・赤ちゃん学?」とたずねられ、答えに窮した覚えがある。もっとも先生は、こちらの魂胆は先刻ご承知で、「新聞は新が好きですからねえ」と続けられたのだが。


記事は、産経新聞朝刊生活面に掲載する週一回の連載として企画された。ところが、スタート時の第一部「世界の研究室から」と、連載半ばの第五部「こころの芽生え」は、朝刊一面で連日の掲載となった。

日々刻々と変化する毎日のニュースを掲載する新聞の一面で、こうした企画が連載されるのはきわめて珍しいが、取材をはじめてみて、赤ちゃん研究の新しさ、面白さに編集局内の注目が集まり、急ぎ一面での連載スタートとなった。第一回の記事「乳児の脳　2カ月で変化」は、二〇〇二年一月十五日の朝刊一面に掲載された。その横にある国会議員秘書の脱税疑惑や成人式の騒ぎなどのトップニュースに伍《ご》して、十分興味深い内容になっている。

記事は、イギリスのロンドン大学の脳科学者、ガーガリー・チブラ博士の研究を紹介している。博士は赤ちゃんの脳波を本格的に調べ、その成果を科学誌「サイエンス」（二〇〇〇年十一月二十四日号）に発表して注目された新進気鋭の研究者だ。詳しい内容は本文で読んでいただくとして、赤ちゃんは生後六カ月から八カ月の間に認知能力が大いにあがるというそのユニークな研究は、頭にシャワーキャップのような測定器をかぶってにっこり笑う、愛らしい被験者（生後七カ月）の姿とともに、読者に強烈な印象を与えることになった。

現代の赤ちゃん研究の裾野《すその》は、実に広い。従来の赤ちゃん研究は、言葉を持たない存在である赤ちゃんを外部から観察し、病気や発達障害にのみ関心を寄せ、赤ちゃんを主に大人との関係でみる「育児」が中核にあった。が、いまは違う。赤ちゃんそのものを、あるがままに観察する。

胎児の段階から言葉のレッスンを受け、生まれてまもなく、もう母親の言葉を認識していることを探る（第一部「世界の研究室から」）、あるいは赤ちゃんが初めて言葉を獲得するメカニズムを解読する（第二部「ことば」）、長時間シャワーのように、刺激的なテレビ画像と向き合う赤ちゃんの脳が受ける影響を探る（第三部「テレビ」）、母乳育児の医学的意義や免疫《めんえき》効果をみる（第四部「母乳」）、すでに生後第二週から物をつかもうとする赤ちゃんの意識的行動をチンパンジーの行動観察などと比較して探る（第五部「こころの芽生え」）など。

登場する研究者も、小児科学から脳科学、霊長類学など実に多彩。無限の可能性を秘めた存在である赤ちゃん、その赤ちゃんを知ることは、まさに人間そのものを知ることなのだ。

連載は、子供をもつ親たちだけでなく、これから親になろうとする若い人たち、子育てに縁はないが人間学に興味がある多くの人たちの関心を集め、たくさんの反響や励ましをいただくことになった。

中でも特筆すべきは、この連載に関連して、二〇〇二年十一月、東京と大阪で三日間にわたり内外の赤ちゃん研究の第一人者を招き、「新・赤ちゃん学国際シンポジウム」を開催できたことだ。シンポジウムは「日本赤ちゃん学会」との共催で実現したものだが、新聞社にとっても学会にとっても、大変実り多い事業になったことを喜びたい。

個人的には、連載記事も、研究者の生の話が聞けたシンポジウムも、とても刺激的で、遠く過ぎ去った子育てにまで思いをはせる楽しい時間になった。生まれたばかりの赤ちゃんに見られる「新生児微笑」が、あやされることを誘い出す呼び水の役割を果たしていること、赤ちゃんは目と目を合わせることが大好きだということなど、当時知っていれば、かぼそいわが子の泣き声にあれほど不安を感じることもなかった、もっと子育てを楽しめたかも、と思ったりした。

この本を読むことで、現代の悩める親たちが一人でも多く、赤ちゃんと暮らすことを楽しめたら、と思わずにはいられない。

取材班としては、赤ちゃん研究の最先端を全体的に見渡せるような配慮をしつつ、読者の興味にそって関心の高いテーマをそのつど、ひと括《くく》りにして報告する形をとった。走りながらの連載ではあったけれど、内外の多くの第一人者の方々にお話を伺うことができ、赤ちゃん研究の今日的テーマをかなり網羅できたのではないか、と自負している。

連載の執筆は、大阪本社の篠田丈晴記者、岸本佳子記者、東京本社の篠崎理記者、加藤達也記者、福本義彦記者が、またデスクワークは真鍋秀典・文化部次長（大阪本社）が中心となって担当した。育児中の記者あり、シングルあり、ディンクスあり。赤ちゃんを見つめるまなざしがそれぞれに個性的で記事が多彩になった。単行本に関しては、新潮社の瀧本洋司さんにお世話になったことをお礼申し上げたい。

二〇〇三年四月

刊行に寄せて

小西行郎（東京女子医科大学教授
日本赤ちゃん学会事務局長）

今日ほど育児情報雑誌が氾濫《はんらん》した時代はなかった。情報の混乱が育児に携わる方々を迷わせ、育児不安の一因にもなっているといっても過言ではないだろう。

そこで正確な育児情報を発信するため、赤ちゃんを「科学する」というコンセプトのもとに設立されたのが、日本赤ちゃん学会である。そして設立から約二年、脳科学の著しい進歩などもあり、赤ちゃん研究も飛躍的に進んだ。

そんな中、赤ちゃん学会の成果を育児の現場に紹介したいということで、産経新聞が「新・赤ちゃん学」シリーズの連載を始めた。シリーズ開始に先立ち、産経新聞大阪本社文化部の篠田丈晴、岸本佳子両記者と会い、その真面目《まじめ》さと熱意に動かされ、全面的に協力することになった。取材班の記者たちは国内だけでなく、外国にも飛んで精力的に情報収集され、国内外の赤ちゃん研究の最先端の成果が、お茶の間でも見られるようになった。

「新・赤ちゃん学」シリーズは産経新聞の中で高い評価を受けただけでなく、私自身もお母さんや保育士さんたちから幾度か、このシリーズを楽しみにしていると聞かされた。

やがて、そうした声に応《こた》えようと、学会と産経新聞社の共催で国際シンポジウムを開催することになった。プログラム委員会など何度か打ち合わせをし、最終的に計画が承認されたのであるが、産経新聞社側の意向でシンポジウムのコンセプトは、育児ではなく、脳科学に決まった。特に、母親である石野伸子・産経新聞大阪本社文化部長（当時）が「脳科学で」といい、その他の男性の方々が「育児を」と主張されたのは、極めて興味深いことであった。

いずれにせよ、メレール博士、ホフステン博士、ネーデル博士、さらにはチブラ博士、シュール博士という、世界でもトップクラスの研究者の五人が参加し、わが国の若手研究者九人とともに研究成果を報告され、熱心な討論が繰り広げられた。

そして今回、「新・赤ちゃん学」シリーズと国際シンポジウムの成果をまとめたものが一冊の本になった。私にとっても、学会にとっても意義のある本である。産経新聞記者たちの、科学的で正確な情報を育児の現場に、という当初の思いは見事に実現された。

この本は育児の現場に必ず役立つものであると、私は確信している。

二〇〇三年四月

目次

第一部　世界の研究室から

形を認識する（イギリスから）……乳児の脳はたった二カ月で大きく変化する　26
言語獲得（フランスから）……赤ちゃんは生後間もなくでも、聞き分ける力がある　30
自分と他人を区別する（アメリカから）……赤ちゃんは他人の好物を一歳半で理解できる　34
ベビーサインとは何か（アメリカから）……身ぶり手ぶりで〝交信〟する赤ちゃん　38
ベビーサインの効果（アメリカから）……温かな親子関係をつくるのに役立つ　42
仕組まれている言語本能……おっぱいを吸うのもレッスンの一つ　46
あおむけの良し悪し……寝る姿勢がヒトの知性発達に影響を与える　51
日本赤ちゃん学会の設立……異分野の専門家が交流できる若い学問　55

第二部　ことば

外国語の学習はいつから？……早すぎる教育は脳に混乱を生じさせるだけ　60
「語りかけ」……「1日30分で言語能力が伸びる」と教える育児書が話題に　63
話す仕組み……笑い声が最初のレッスン、生後三カ月からのどが発達する　67
言葉を蓄積する……お母さんは、絵本を繰り返し読んであげて　72

意味を理解する……赤ちゃんは「属性」を絞り込み、体を使いながら覚える　76
音声知覚の発達……「ん」を含む言葉に、生後半年以下で反応する　81
乳幼児の英語習得……基本言語が未成熟な段階では悪影響を及ぼすことも　85
バイリンガルの難しさ……ヒトは一つの言語でしか自分の世界を構築できない　90
母国語の理解が基本……生活体験を経て、初めて「生きた言葉」を習得する　94

第三部　テレビ

「ポケモン事件」……過大な刺激に対応できない子供たちの脳　100
二カ月児の脳の変化……刺激の一部をじっと注視するくせがある　103
いつから見ていたか……テレビ世代の親が、子供の長時間視聴をうながす　108
一日の視聴時間……一人で長時間見続ける習慣はやめるべき　113
ビデオは役立つのか……知育の基本は、まず親自身が行動で愛情を示すこと　117
コミュニケーション障害……長時間の視聴は言葉おくれの原因になることも　121
乳幼児向け番組……一方通行を避けて、子供の「目線」に配慮したい　125
脳の発達への影響……良質な番組でも三歳以降に見させたほうがよい　128

第四部　母　乳

国立岡山病院の挑戦……助産婦も驚いた「ミルク中止」宣言　134
「乳房センター」……〝赤ちゃんにやさしい病院〟の広がりに期待　138
カンガルーケア……素肌で温めながら親子の絆を深めることが大切　143
母乳分泌メカニズム……おっぱいを吸う行為には「意味」がある　147
超低出生体重児……早期授乳すると、発育への利点も多くなる　151
あごの発達と虫歯の関連性……誤解を招きやすい「母乳齲蝕」　157
免疫効果とその応用……母乳は、赤ちゃんを感染症から守る「宝の山」　162
卒　乳……無理やり、やめさせる必要はない　166
「本当に誰でも母乳が出るの？」……周囲の無理解に母親の悩みは尽きない　171

第五部　こころの芽生え

意識的な行動……生後二週目で、目の前の物をつかもうとする　178
チンパンジー研究から……ヒトと同じように微笑み方が発達していく　181
アユムとのコミュニケーション……「指さし」の動作を理解できるチンパンジー　185

自分を知る、数を知る……複数の感覚、統合する能力が現れるのはいつか　189
睡眠と覚醒……睡眠のリズムが乱れると、心身の発達に影響が出る　193

第六部　這えば立て

胎　動……受精後六週ごろから胎児は自発的に動き出す　198
眼球運動と脳機能の発達……胎児の間にすでに生物時計が働いている　201
胎児の「驚き」……受精後二十週で、基本の動きがほぼ完成する　205
三つの行動パターン……いったん消えて再び現れる「U字型現象」の解明へ　210
泣く笑う……温度変化から赤ちゃんの感情を探る　214
ジェネラル・ムーブメント……生後二カ月が、成長する上での大きな転換点　219
ライジングとフィジエティー……微妙な動きから脳の障害を発見することもある　224
這い這い……脳を発達させるための刺激を与える動作　228
二足歩行……生後一年で獲得する、基本動作の集大成　233

第七部　知覚も育つ

光が先か、音が先か……生後四カ月で視覚優勢に　240
視覚と聴覚の統合……五～八カ月で脳に〝大変化〟　244
光への適応……遺伝より環境、経験の効果　247
這い這いの役割……移動経験が視覚認知に影響　250
動いて学ぶ……障害持つ子の能力を刺激　254

第八部　最初の試練

アトピー……「アレルギーマーチが来た」と恐れる母親たち　260
新しいアレルゲン……卵・牛乳・大豆に加えて、ゴマ・米・小麦も要注意　264
早すぎる離乳食……一歳前後までは母乳だけでも大丈夫　268
胎内感作……母親の食物アレルギーは赤ちゃんにも影響するのか　273
乳幼児突然死症候群……三つの危険因子を取り除くことで死亡は半減　277
乳幼児突然死症候群の原因……「うつぶせ寝」は赤ちゃんの覚醒を遅れがちにする　281
揺さぶられっ子症候群……あやすつもりが、思わぬ事故につながることも　285

誤った水分補給……赤ちゃんには母乳・人工乳・水以外は要らない 289

第九部　シンポジウムを終えて

母親は随伴的存在……この人とコミュニケーションできると思わせること 296
異分野からの参加者……赤ちゃんのように「学ぶロボット」をつくりたい 299
若き研究者を世界へ……まだまだ少ない、赤ちゃんの実験参加 303
目　線……赤ちゃんは周囲の人と目を合わせることが大好き 308
◇資料◇第一回「新・赤ちゃん学国際シンポジウム」討議内容 312

文庫版あとがき 341
赤ちゃん理解の急速な進歩と赤ちゃん学　榊原洋一 346

赤ちゃん学を知っていますか？

ここまできた新常識

第一部　世界の研究室から

形を認識する（イギリスから）………乳児の脳はたった二カ月で大きく変化する

二〇〇一年十二月十三日午後、生後七カ月の男児、ジェームスちゃんは母親に抱かれて、大英博物館の隣にあるロンドン大学バークベックカレッジを訪れた。「心理学認知発達研究センター（CBCD＝Centre for Brain and Cognitive Development）」の実験室で毎日行われている赤ちゃんの脳機能や行動などに関する研究に参加するためだ。

一九九八年に設立されたCBCDでは、二十人余りの研究者が三つの実験室でさまざまなパターンの実験を繰り返し、先端の「赤ちゃん学」を積み上げている。親たちの理解と協力を得て実験を受ける〇歳児は年間五百数十人にのぼる。

この日、ジェームスちゃんは、「一つの絵をどれだけの時間、飽きずに見ていられるか」など二つの実験を受けた。目の動きに行動学の立場からアプローチすることが目的。スタッフたちは、モニターに映し出されるジェームスちゃんの目や体の動きを注意深く見守る。合わせて約一時間の実験が終わると、「サンキュー、ジェームス！」

脳波を測るため、赤ちゃんの頭の周りに張り巡らせたセンサー。シャワーキャップのように見える。（ロンドン大バークベックカレッジのCBCD提供）

チブラ博士が実験に使ったカニッツァ図

の声に、満面に笑みを浮かべ母親に抱かれて帰っていった。

*

〈生後六カ月で認識できなかった物体を、八カ月では知覚する。この二カ月の間に赤ちゃんの脳の中で何かが起きている〉

CBCDの研究を設立時から引っ張っているガーガリー・チブラ博士らは、世界で初めて赤ちゃんの脳波を本格的に調べ、その成果をアメリカの科学誌「サイエンス」（二〇〇〇年十一月二十四日号）に発表。各方面の注目を集めた。

赤ちゃんに関する研究は、一九

六〇年代にスタートした新しい学問である。八〇年代半ばから世界各地で本格化した。チブラ博士は、まだ話すことができない赤ちゃんに興味を持ち、〇歳児の脳の発達を研究してきた。この成果を、博士は「出発点」と位置づけている。

チブラ博士らの論文のタイトルは「乳児の脳におけるγ（ガンマ）帯活性とオブジェクト処理」。カニッツァ図と呼ばれる錯覚の四角形（四角形の角に置かれた四つの円から、四角形部分を取り除いた形）＝前頁図参照＝を見せられたとき、生後八カ月の赤ちゃんは「四角形」を知覚して、大人でも起きるγ帯（脳波の一種）活性を示したが、生後六カ月の赤ちゃんは知覚することができず、γ帯活性も示さない。

実験は生後八カ月、六カ月の赤ちゃん、それぞれ十一人ずつに行った。頭の周りに安全性を考えた特別なセンサーを、ちょうどシャワーキャップのように張り巡らせ、脳波を測る。チブラ博士は「生後八カ月の赤ちゃんは大人と同じようなやり方で、複雑な物を認識していくことが裏付けられました」と指摘する。

博士は、従来の行動学の実験（目の動き、注視など）から、生後六カ月と八カ月の間に認識の差があることを推測し、それを脳機能に関する実験とリンクさせて確実なものとした。

「生後五、六カ月から八カ月。おそらく、この二、三カ月の間に、脳のいろいろな部分が同時に機能し始めて、物の形とか深さなどが分かってくるのでしょう。まだ大人のレベルまでは行かないが、脳の発達には大切な時期です」と、チブラ博士は語る。

CBCDの同僚らの赤ちゃん研究は、空間の認識や顔の区別など幅広くバラエティーに富んでいる。

＊

博士は「脳がどう発達していくのかを理解することは、子育ての中で、赤ちゃんにどう接したらいいのか、どう教育したらいいのか考えるうえで重要なのです」と強調する。また、「脳以外のアプローチもあります。新しい研究だけに、私たちがやらなければならないことは山積しています。ネバー・エンディング・ストーリーですね」と意気込んでいる。

言語獲得（フランスから）……赤ちゃんは生後間もなくでも、聞き分ける力がある

「赤ちゃんは、まるっきり白紙状態で生まれるのではありません。言語に関しても、あらかじめプログラムされており、早い段階で認知しているんです」

パリのフランス国立科学研究センターの認知科学・心理言語学研究所所長、ジャック・メレール博士（現・イタリア国際認知神経科学先端研究所所長）は、こう語る。

スペイン・バルセロナ出身の博士は、認知科学の分野では後発国だったフランスに、この学問を導入した先駆者でもある。博士自身、英語、イタリア語など七カ国語を話すことができる。それもあってか、赤ちゃんが母国語以外の言語を獲得する過程、つまりどの時期に、どんな刺激を与えれば効果的に学習できるかについて、意欲的に研究している。

イギリスやアメリカなどで研究を続け、乳幼児の認知行動、言語獲得過程を紹介した集大成ともいうべき“NAÎTRE HUMAIN”（共著）を出版、日本でも『赤ちゃんは知っている』（藤原書店刊）のタイトルで一九九七年に翻訳された。

赤ちゃんの脳機能を調べるうえで博士が最も注目しているのが、「光トポグラフィー法」だ。

光（近赤外光）を使って脳表にある大脳皮質を計測し、血液量で活動状態を調べる方法である。

＊

「ｆＭＲＩ（核磁気共鳴画像法）など脳の機能を調べる方法はいろいろありますが、私自身、光トポグラフィー法は安全面などで最も有用だと考えています」

こう話すメレール博士は一九九九年から、この方法を開発した日本の日立製作所基礎研究所との合同研究を進めている。

最初の実験は、生後五日以内の赤ちゃん十二人に対し、「言葉を聞いたとき」と「何もしない安静状態のとき」の言語・聴覚野における血液量の変化を調べた。一回に言葉を聞く時間は十五秒で、約二十秒の安静時間をはさんで十回繰り返す。

その結果、安静時には血液量にあまり変化がみられなかったが、言葉を聞いたときには血液量の増加が著しかった。生後五日以内の赤ちゃんがすでに言葉に反応し、大脳皮質が活動していることがうかがえたのだ。

非栄養吸引法(偽《にせ》の乳首を吸う頻度で反応を見る方法)を用いた研究でも、生後四日の赤ちゃんは母国語のフランス語のテープを聞かせると、激しく乳首を吸い、ロシア語に変えると、吸う頻度が減った。

こうした行動学の実験からも、新生児が生後間もなく母国語と外国語を区別していると考えられ、「光トポグラフィー法を使った実験で、母国語の弁別に大脳皮質がかかわっていることが裏付けられた」(日立製作所基礎研究所)といえる。

*

メレール博士らの研究には、「人はどのようにして言葉を学んでいくのか」というテーマが根底にある。言語獲得のプロセスが明確にされれば、障害を持つ人の言語教育に役立つうえ、外国語習得法の学問的基盤にも結びつくはずだ。

現在、赤ちゃんを一つの言語環境(モノリンガル)と、二つの言語環境(バイリンガル)に置き、光トポグラフィーを使ってその差を見るという研究を計画している。

博士は「日本のように単一言語の国は珍しい。インドや中国、アメリカなどでは通常、複数の言語が飛び交い、親同士が違う言葉を話すケースも多いんです。おのずと赤ちゃんも複数の言語環境に置かれます。そしてバイリンガルの環境の人は複数の言葉を難なく、モノリンガルの人が一つの言葉を獲得するのと同じ早さで獲得するのです。脳がどのように機能しているのか明らかにしたい」と語っている。

*

メレール博士は、母国語以外の言語を習得するには、早い時期にこしたことはないという。もちろん〝ネイティブスピーカー〟を育てるという意味である。

「せっかく、赤ちゃんのとき、すでに鋭い言語能力があると分かっているのですから、使わない手はありません。年齢を積めば、その分、機能が弱くなっていくんですから」と博士は話す。

日本のような単一言語の国については、「赤ちゃんのころにカセットテープなどでバイリンガルの環境に置いたとしても、結局待ち構えている社会は単一言語社会なのです。それに見合った教育法は何か、教育論でも研究がされない限り、有効な言語教育法の確立は難しいですね」と言う。

どの時期に、どんな刺激を与えれば効果的に言語を学習できるか。博士の研究はさらに続く。

自分と他人を区別する（アメリカから）……赤ちゃんは他人の好物を一歳半で理解できる

赤ちゃんの目の前に二つの皿がある。一つには大好物のクラッカーが山盛り。もう一つには大の苦手の生のブロッコリー。

そこで大人が、クラッカーの入っている皿から一つを取り出して、「うわっ、まずい」と、顔をしかめて食べて見せる。続いてブロッコリーを取り出して「おいしい！」と、顔をほころばせて大喜びで食べる。

この様子を見ていた赤ちゃんに、「ひとつ、ちょうだい」と手を出してみる。さて赤ちゃんはどうするだろうか。

これは、カリフォルニア大学バークリー校のアリソン・ゴプニック教授（心理学）が行った実験だ。

結果は――。

まず一歳二カ月の子供。迷わず自分の大好きなクラッカーを取り、差し出した。ところが一歳半の子供は、自分は大嫌いなブロッコリーに手を伸ばし、大人に渡した。一歳半の子供は、自分はクラッカーが大好きだけど、他人（目の前の大人）はブロッコリーが好きなんだ、と理解している。

「一歳半未満だと、自分と他者の区別をつけることができません。だから自分の好きなものを他人にも渡してしまう。でも一歳半ぐらいになると、自分と他者がそれぞれ別の欲求を持っていることが分かるのです」

ゴプニック教授はそう分析する。

「三十年ほど前までは、科学者は、子供という存在は何も知らないものだと考えていました。しかし最近の研究では、どんなに小さな子供でも、ものを考え、知っているし、学んでいると、とらえられています」

大学で哲学を専攻した教授は、「子供は非常にミステリアスな存在」と言う。小さな子供の頭の中で一体何が起きているのか。どんな発達をしていくのか。教授はそんな関心を抱き、数々の興味深い研究を行ってきた。

＊

教授の研究にはこんな例もある。

英語を話す母親と韓国語を話す母親が、一歳半の子供に話しかける様子を観察した。英語圏の母親は名詞をたくさん使い、韓国語圏の母親は、動詞をよく使う。そして子供たちを観察すると、やはり英語圏の子供は名詞を多く使って話し、韓国語圏の子供は動詞が多いという。

しかし、それだけではない。

「このような箱形のおもちゃとバナナのおもちゃがあるとしますね」と言って、教授が机の上にそれぞれ四つずつ、プラスチック製のおもちゃを置いた。

「英語圏の子供は、二種類のおもちゃを分類することが上手なんです」

そして、ごちゃごちゃになっていたおもちゃを、さっと二つに分けた。

「ところが韓国語圏の子供は、手の届かないところにあるおもちゃを〝くまで〟のようなものを使って引き寄せる動作が上手ですね」

こうね、と教授は、手をくまでのようにして引っ張ってみせた。

もちろん、二歳ぐらいになれば、英語圏の子供もくまでを使えるし、韓国語圏の子供も、物の分類ができるようになる。ただ、早い段階においては、どういう言語を耳にしたかということが認知能力の発達の順番に影響している。教授はそう見ているのだ。

「まだ一歳半、言葉もようやく出始めたばかりの小さな子供なのに、周りの人間が話すことに影響を受けている。聞いたことからさまざまに考えているわけです」と教授は話す。

＊

では、赤ちゃんは生まれたばかりの時から勉強した方がいいのだろうか。

教授は苦笑した。

「こういう研究が明らかになると、お母さんの中には九カ月の赤ちゃんを塾や特別な学校に行かせなきゃ、という人も出てきたりするんですよ。確かに、子供が小さい時期というのは大切だけど、発達していく上でプラスになることって、おもちゃを動かしてみたり、犬や電車を見ていっしょに指さしてみたり、遊んだり……。どれも昔からずっとやってきたことなんです」

日本の〝三歳児神話〟ではないが、アメリカでも、やはり三歳までを特に重視する研究もある。

「最初の三年に何か間違いがあったからといって、取り返しがつかないわけではありません。長い旅に出る時に、最初から正しい道を進めば早く到着するだろうけれど、回り道をしたって結局、目的地には到着できるでしょう」

三人の子供の母でもある教授は、静かに語るのだった。

ベビーサインとは何か(アメリカから)……身ぶり手ぶりで“交信”する赤ちゃん

アメリカ・カリフォルニア州デービス。カリフォルニア大学デービス校に程近い一画にある保育園「ラ・ルー・パーク・チャイルド・デベロップメント・センター」では、乳児クラスの子供たちがテーブルを囲んで行儀よくお座りしていた。

午前のおやつタイム。いち早く食べ終えた一歳四カ月のマダリンが、先生に何か訴えかけている。一生懸命、右手の人さし指で左手の手のひらをとんとんと何度もたたく。

「もっと? もっとね」。気が付いた先生が、同じ動作をしながら棚にしまってあった箱を取り出した。マダリンは安心したように「おかわり」を食べ始める。

マダリンの向かいに座るメレディスは、一歳になったばかり。彼女はいつもみんなより一足先にランチタイムをとる。今日のメニューはパスタ。フォークでかき回すけれど、あまり食べる気はなさそう。ご機嫌もよくない。今にも泣き出しそうな雰囲気だ。

「じゃあ、お水飲む?」。様子を見ていた先生が、右手を丸めて口にあて水を飲むふりをすると、うなずいて少し飲んだ。「もうランチは全部食べたの? 終わっていい?」。手のひらを下に向け、両手を左右に動かしながら尋ねると、メレディスは納得したように先生を見てうなずいた。

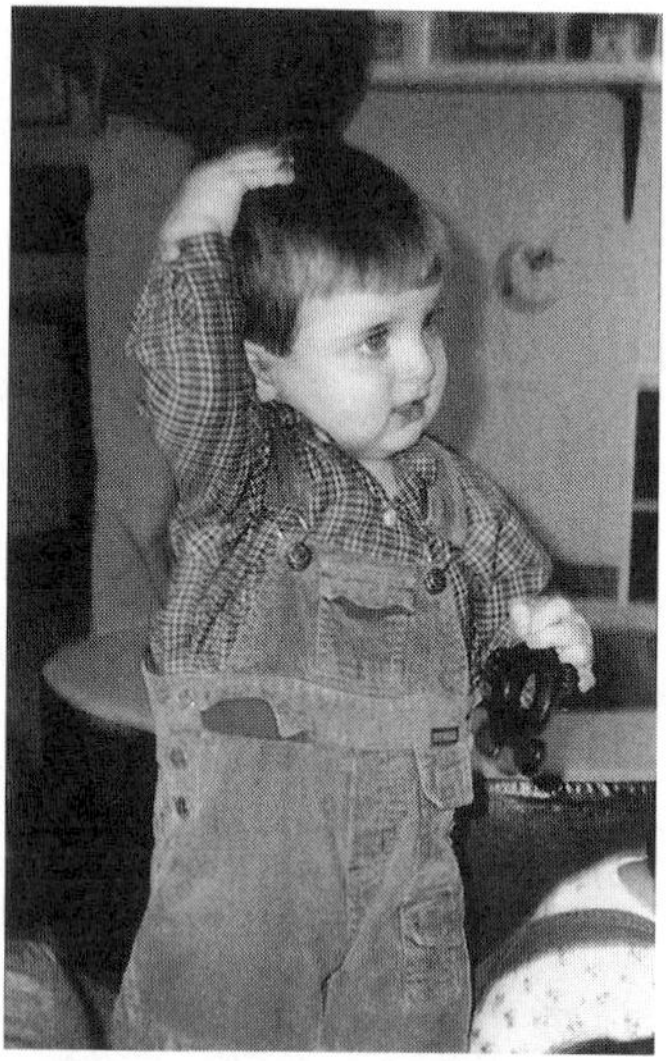

「ぼうし」とベビーサインを送る子供。

マダリンもメレディスも、片言しか発せないし、まだ会話はできない。それでも、なんとか先生と意思疎《そ》通《つう》ができているのは、いくつかの身ぶり手ぶりを効果的に使っているからだ。

＊

話ができない赤ちゃんと身ぶり手ぶりで〝話す〟この方法は「ベビーサイン」と名づけられている。カリフォルニア州を中心にアメリカの保育園や家庭で、乳幼児とのコミュニケーションの手段として注目を集めている。

この「ラ・ルー」保育園も積極的に取り入れ、先生たちは常に両手を使ってベビーサインをしながら子供に話しかけている。親たちにも好評で、家庭でも積極的に使われており、時には「家で子供が一生懸命ベビーサインで話しかけるのに、親の方が分からなくて、翌日『あのサイン、なんでしょう』と聞かれることもあるんですよ」と乳児クラスの責任者、マリア・ゴンザレスさんは話している。

＊

「ベビーサイン」によるコミュニケーションを提案したのは、カリフォルニア大学デービス校のリンダ・アクレドロ教授（発達心理学）とカリフォルニア州立大学スタニスラウス校のスーザン・グッドウィン教授（心理学）だ。きっかけは、アクレドロ教授の長女、ケイトだった。

一歳になったころ、ケイトが庭のバラを指さして、くんくんとにおいをかぐまねをしてはアクレドロ教授を見つめるのだ。何かを訴えようとしていた。「花」だ。ふだんから、花を見たときには「お花きれいね」とにおいをかがせていたので、「花」を伝えるためにこの方法を思い付いたらしい。ケイトはほかにも「クモ」「魚」などを、身ぶり手ぶりで伝え始めた。

「言葉は話せないけれど、彼女も話をしたかった。だからこんなサインを使って伝えようとしたんです」とアクレドロ教授は話す。

他の赤ちゃんも「ベビーサイン」を使って、自分の意思を伝えようとしているのではないか。

そんな思いから、一九八二年から本格的に研究を始めた。国の助成を受けて百四十組の親子を対象に行った研究では、ベビーサインを使うグループと、使わないグループに分け、言語能力や知能の発達などを調べた。大学内に研究室を設け、そこで親子が遊ぶ様子をビデオに録画し、子供の発声や会話を分析したり、知能テストなども実施した。

その結果、ベビーサインを使った子供は、使わなかった子供に比べ、約六年後の八歳時点でも、知能指数が平均十二ポイント上回った。しかし、何よりも大きかったのは、親と子の関係が深くなったことだと、アクレドロ教授は言う。

「子供の側にすれば、自分の気持ちを分かってくれない、という欲求不満が解消できるんです。親は、何も知らないと思っていた赤ちゃんと〝会話〟できることで、子供がいかに発達しているかを知り尊敬するのです」

彼女たちがベビーサインに関する研究内容を一般向けにまとめた〝BABY SIGNS〟は、これまでにアメリカで二十万部以上が売れた。二〇〇一年には日本でも出版され、少しずつすそ野が広がっている。

ベビーサインの効果（アメリカから）……温かな親子関係をつくるのに役立つ

「あっ、あっ、とか、うー、とか。一生懸命言っているんです。そんな様子を見ていて、なんとか分かってあげたい、と思ったのが始まりでした」

佐々木充子さんは、ひざの上で遊んでいる一歳半の長女、涼花ちゃんをやさしく見つめながら話した。

涼花ちゃんが一歳を過ぎたころのこと。まだ言葉を話せない赤ちゃんと〝話す〟方法を解説した一冊の本を知った。子供と意思の疎通《そつう》ができるなら。そう思い簡単なベビーサインを教えることにした。

最初はぞうさん。歌を歌いながら「ぞうさん」の部分にさしかかると、鼻を人さし指で指さした。しばらくして知人の家に連れて行くと、冷蔵庫に貼《は》られた幼稚園からの案内に、ぞうさんの絵を見つけた涼花ちゃんが同じことをやってみせたのだ。「ぞうさんね！」。

その後、うま（ジョッキーのまね）、きりん（首を伸ばすふり）と、涼花ちゃんのサインは増え続けている。

一歳一カ月の増岡壮汰くんは、「ちょうだい」のベビーサインが得意だ。両手を合わせ、まるで拝むような、壮汰くんオリジナルのサイン。一カ月前のクリスマスにできるようになったばかり。

「赤ちゃんは泣いて意思を伝えると思っていたから、びっくりしました」と母親の浩美さんは話す。二階に上がりたい、スイッチを触りたい、ごはんをちょうだい。壮汰くんにとってこのサインは、ママが希望をかなえてくれる、魔法のサインだ。

*

二〇〇二年一月上旬、東京都世田谷区の区立上北沢児童館で、ベビーサインの講習会が開かれた。佐々木さんたちに、ベビーサインについての本を紹介したのは同館だ。

講師に招かれたのは、その本、つまり"BABY SIGNS"の日本語訳『ベビーサイン』(径《こみち》書房刊)を手がけた、たきざわあきさん。たきざわさんも二人の子供の母親で、一人目の子育て中に、アメリカでこの本と出合った。

「何も特別なことじゃないんです。『よし、これから三十分教えるぞ』なんて思わないで、普通に赤ちゃんに話しかけるときにちょっと手を動かすだけ。サインにも決まりはありませんしね」と話す。

「子育てをしていると、つい叱《しか》ってしまうことが多いじゃないですか。ところがベビーサインを通して、ほめたり感心することがどんどん増える。それがうれしかったんです」と、たきざわさんは言う。

しかし、こんな心配をする母親もいる。

「ベビーサインに熱中して、言葉をしゃべらなくなるんじゃないかしら……」

「そんなことはありません」

“BABY SIGNS”の著者の一人、アクレドロ教授はきっぱりと否定する。

＊

百四十組の親子を対象にした研究では、子供の発達を十一カ月、一歳三カ月、一歳半……と八歳まで追いかけて、各時点での子供の発達ぶりを調べている。三歳の時点では、ベビーサインを使った子供は、使わない子供に比べ、会話能力が四カ月半ほど進んでいたことが分かった。

だが、「知能の発達のためではありません」とアクレドロ教授はクギを刺す。

実験に協力した子供の中に、十一カ月の男の子がいた。少々荒っぽい子供で、実験に参加しているスタッフも手を焼いていた。だが実験が終わるころには穏やかな赤ちゃんに変わった。

「ベビーサインを知って、彼の欲求不満が解消されるようになったのです。親の方も子供の行動を積極的に受け入れられるようになった。ベビーサインはとても自然で、親子の間に温かい関係を育《はぐく》むもの。だからこそ多くの親子にやってほしいのです」とアクレドロ教授は話す。

また、「ベビーサインができる時期は、赤ちゃんによってバラバラです」と強調する。アクレドロ教授の場合も、長女のケイトは自らサインを発したが、弟は最初のサインを出すまでに二カ月かかった。「ベビーサインを使う時期は赤ちゃんが決めるのです」とアクレドロ教授。

あまり早い月齢の赤ちゃんに教えても、できないのは当たり前。「うちの子はできない」とイライラしてしまっては、本末転倒だ。

「ベビーサインをしたからといって、育児がバラ色になるわけじゃありません。でも、救われることがあったのです。うちの子供はとてもいたずらっ子でしょっちゅう叱ってました。でもゴメンネ、と頭に手をやるベビーサインを見たときには思わず、うれしくてぎゅっと抱きしめてしまいました」

ベビーサインを実践した、たきざわさんの言葉だ。

仕組まれている言語本能……おっぱいを吸うのもレッスンの一つ

「これまで〇歳児の発する音声と、一歳ごろになって発する言葉とは、質的に異なると考えられてきましたが、実際には違う。〇歳児のバブバブも、言葉を出すためのレッスンなのです。人間の誕生以来、繰り返されてきたことですが、それが分かったのはここ十年なのです」

こう話すのは、京都大学霊長類研究所（愛知県犬山市）の正高信男助教授（比較行動学）だ。十数年前から、赤ちゃんの行動や脳機能からその言語処理の研究を進めている。

赤ちゃんは生後六週ごろに「アーン」とか「ウーン」の声を出し、六カ月ごろに「ア・ア・ア」「ダ・ダ・ダ」というように、単音節で発するようになる。これは連続的な変化で、赤ちゃんはいろいろなトレーニングを経て、言葉をしゃべるようになるのだという。

正高助教授は「練習をしないと言葉は出てこないから、経験が大事なのかというとそうでもない。私たちには言葉を習得するための非常に強い本能があり、実はその本能に基づいて練習をしているんです」と話している。

＊

正高助教授は、赤ちゃんのおっぱいの吸い方を観察した。

約四千七百種もいる哺乳《ほにゅう》動物の中で、人間の赤ちゃんだけ特異な吸い方をする。吸ったら休む。その繰り返しだ。ヒトは他の動物に比べ、おっぱいの出具合が悪い。生存という観点からみれば、できるだけ連続して吸ったほうが効率がいいはずなのだが。

正高助教授によれば、これが言葉を習得するための本能的行動なのだ。

赤ちゃんが吸うのを休むと、母親は「よし、よし」と揺する。そして赤ちゃんは再び自分からおっぱいを吸いにいく。

生後二週と六週の子供を観察したところ、この繰り返しは同じだが、一度に乳首を吸う時間は六週で平均約十二秒と、二週の半分近くに短縮し、母親が揺する時間も半減。短いサイクルで数多く反復するようになる。成長することで、両者の働きかけの交代が、より精妙なタイミングで行われるようになる。

「コミュニケーションの原初的な形。互いに本能的な行動で、母親も無意識に揺すっています。赤ちゃんは、相手が何かしているときは待ち、相手が終わったら、自分が始めることを学習するのです」と正高助教授。

生後六週ごろになって赤ちゃんが「あーん」と声を出したら、母親は「〜ちゃん」と呼びかける。赤ちゃんは自分の語りかけに対する応答だと理解するようになる。

「本能が仕組まれているからこそ、学習が成立しているんです」

正高助教授はそう強調する。

＊

赤ちゃんが、言語音に近い、声帯がきれいに振動した音を発するようになると、それが母親たちにとって非常にかわいい声に聞こえ、より愛情を込めた返事をする。すると、赤ちゃんはうれしいから、ますますかわいい声を出す。手足をバタバタと動かしたりもする。

「こうしたコミュニケーションによって、言語音の基《もと》を出すようになるのです。お母さんたちのいろいろな話しかけを、赤ちゃんは記憶にとどめ、ある程度蓄積されたら、ある日、自分からそれをしゃべり出します」

こう語る正高助教授は、若い母親たちから「〇歳児は、どのように相手をしたらいいのか分からない」とよく相談されるという。「歌ったり、絵本でも読んであげたら」と提案すると、「言葉の意味も分からないのに……」と、けげんそうな顔をされる。

「赤ちゃんは、歌ったり読んでやることによって、音、リズムを記憶にとどめる。これは、非常に涙ぐましいレッスンですが、自覚がない、無意識なもの。ですから親は意識していろいろ教えてやろうと思わず、赤ちゃんの興味をひくような童話を読んだり、童謡を繰り返し歌ってあげたほうがいいんです」と正高助教授は話す。

＊

正高助教授の研究から、耳の聞こえない赤ちゃんは生後八カ月ごろ、手話サインを作り出し、自動的に手話を習得していくことが分かってきた。

つまり、耳と声を使う方法から、視覚と手を使った方法へとスイッチを切り替えて言語を獲得するのだ。これも言葉を身につけるための本能だ。

長い間、言語は人間が作った人為的な体系で、本能とは無縁なものと考えられてきた。

正高助教授は「一九六〇年代にノーム・チョムスキー氏(アメリカの言語学者)が、『どんな言語でも、内在する文法は共通していて、人間は言語を作り出す強固な本能がある』と言い出し、生物・心理学の分野でも、遺伝学を重視するようになりました。九〇年代以降、赤ちゃんの言語研究が飛躍的に進んだのには、こうした背景もあります。今後、私たちも脳機能面などから取り組むべき課題が残っています」と展望した。

あおむけの良し悪《あ》し……寝る姿勢がヒトの知性発達に影響を与える

二〇〇〇年の春。愛知県犬山市の京都大学霊長類研究所で、言語学習や数の認識の研究で知られるチンパンジー「アイ」が赤ちゃんを産んだ。男の子の「アユム」だ。

出産後から、アイはアユムを片時も離さず、抱きつづけていた。ところが生後十八日目のこと。あぐらのように両足を正面で軽く合わせて座っていたアイは、その足の上に、アユムをあおむけの状態にしてそっと乗せた。そして二十五日目、少しずつアユムを自分の体から離し、開いた両足の間の床にあおむけの状態で置いた。

アユムも、嫌がって暴れるでもなく、穏やかに宙を探るような様子で手足を動かしていた。アイはそんなアユムをじっと見つめながら、わが子の手や足を触っていた――。

アイ、アユムを含む三組のチンパンジー母子の行動観察が、アイの育ての親である松沢哲郎教授を中心に進められている。参加している滋賀県立大学人間文化学部の竹下秀子助教授は、アイがアユムをあおむけにしたことについて、「驚くべきことだった」と話す。

ヒトの母子ではごく当たり前に思えるが、チンパンジーやニホンザルなどは、ある程度自分で移動できるようになるまで、子供は終日、母親にしがみつき、母親もしっかりと抱っこして過ごすのが普通だ。生まれてすぐのチンパンジーやニホンザルの赤ちゃんをあおむけの状態で置くと、手足をばたつかせ落ち着かない。

ところがアイは生後約一カ月でアユムをあおむけにし、アユムもその状態を受け入れた。

「チンパンジーも条件が合えば、ヒトと同じような行動をとる。ヒトの起源がここにも見られたのです」と竹下助教授は話す。

＊

「あおむけ」の姿勢。私たちヒトは何気なく、布団《ふとん》の上に赤ちゃんを「あおむけ」にしておくことがほとんどだ。

しかし、竹下助教授はヒトの進化の道筋を考える上で、この姿勢が重要な役割を果たしているのではないか、と考え注目してきた。それは、学生時代に参加した滋賀県大津市の乳児健診の光景がきっかけだ。

ヒトとヒト以外の霊長類を比較することで、ヒトの独自性を見いだそうと考え、竹下助教授は霊長類研究所などで人工保育されていたニホンザル、チンパンジー、オランウータン、そしてヒトの乳児の姿勢や運動の発達を観察してきた。

その結果、ヒトは「あおむけになって手で足先をつかむ」（五カ月）↓「おすわり」（七カ月ごろ）↓「這《は》い這《は》い」（九カ月ごろ）↓「しゃがむ」（一歳すぎてから）——という順番で発達するのに対し、ニホンザルは、順番が違い、生後一週で「這い這い」、一カ月で「しゃがむ」、四カ月で「おすわり」が見られ、しかも「あおむけになって手で足先をつかむ」はなかった。

ニホンザルは「這い這い」「しゃがむ」といった、手足を地面につけて体を支える姿勢が早く発達する。一方、ヒトは「あおむけ」「おすわり」といった、胴体で体を支える姿勢が先に発達する。

また、手で物を取り扱う能力の発達も比較した。すると、両手を使って物を取り扱ったり、物を入れたり積んだりする動作などは、他の種よりもヒトの方が相対的に早い時期に出現した。

＊

「ヒトの赤ちゃんは、あおむけの姿勢をとることで、早い時期から両手を自由に動かせるようになったのです」と竹下助教授は分析する。

体を支えるという役割から解放されたヒトの赤ちゃんの手は、まず自分の口に出合い（指しゃぶり）、四カ月ごろには両手を合わせ、五カ月を過ぎると左右の手でそれぞれ足先をつかむようになる。

さらに、自分の体から離してあおむけに寝かせた赤ちゃんを、母親は見つめ、微笑《ほほえ》みかけ、さまざまな言葉をかけ、「心理的に抱いている」（竹下助教授）。赤ちゃんも母親を見つめ、微笑みを返す。つまり、表情や声によるコミュニケーションが始まっているのだ。

こういったことが、言語の獲得に不可欠だ、と竹下助教授は考えている。

「ヒトの赤ちゃんのあおむけは、とてもユニークな姿勢なんです。発達の初期の段階であおむけになりうることが、ヒトの知性の発達に大きな意味をもっています」

さらに「これまでは、直立二足歩行がヒトの進化において重視されてきた。でも実は、あおむけやおすわり、といった姿勢こそ、ヒトがヒトとなるカギを握っているのではないでしょうか」とも話している。

日本赤ちゃん学会の設立……異分野の専門家が交流できる若い学問

一九六〇年代に始まった「赤ちゃん学」。各国の研究機関でさまざまな立場からのアプローチがなされ、研究者同士の意見交換も活発になってきた。しかし、まだ〝四十歳〟の若い学問で、世界中の多くの研究者が「これからだ」と強調する。

日本では、二十一世紀がスタートした二〇〇一年の四月二十一、二十二の両日、東京の早稲田大学国際会議場で、「日本赤ちゃん学会」の設立記念学術集会（第一回学会）が開かれた。小児科医や発達心理学者などの専門家だけでなく、工学系など他分野の研究者の姿もあった。一般参加の母親や保育士たちも合わせ、約七百人が会場を埋め尽くした。

「乳児の脳と行動の解明の新たなアプローチ」「類人猿に見る母子関係」などのテーマでシンポジウムが行われ、ジャック・メレール博士（フランス国立科学研究センターの認知科学・心理言語学研究所所長＝当時）も来日し、講演した。

第一回学会の会長で、学会事務局長も務める小西行郎《ゆくお》・東京女子医科大学教授（乳児行動発達学）は「小児科や臨床心理の専門家であれば、ふだんから母親と接する機会は多いのですが、工学系や霊長類の研究者などは機会がほとんどありません。彼らは一般の人々と交流できたことを非常に喜んでいました。お互いに新鮮だったのだと思います。今後、赤ちゃんに関する研究は異分野からのアプローチが大切になってくるでしょう」と話す。

＊

日本赤ちゃん学会は、小林登氏（東京大学名誉教授）と小西教授が、日本乳幼児行動発達研究会を発展させようと考えたのが始まりだ。異分野の研究者との共同研究と、その成果の発表を通じて一般の人々への啓発が主な目的だった。今後、一般向けの書籍も発刊するつもりだ。

「赤ちゃんとつながりが深い分野の研究者だけでなく、ロボット工学や情報科学、人工頭脳などの工学系、霊長類学の研究者らとの交流を図っていきたい。赤ちゃん観がまったく違うので、議論していても楽しいですね。従来の子供の発達学は、観察から積み上げてきた経験的な学問ですが、工学系の研究者はシミュレーションをして、現実の行動と比べていく。実に痛快です」と、小西教授は話す。

赤ちゃん学は、九〇年代以降、脳科学の研究によって飛躍的に進化した。今後、従来の行動学や、脳機能研究に合わせ、学会の赤ちゃんへのアプローチには、異分野の研究者のシミュレーションも加わるだろう。

＊

「母子関係にとらわれすぎないで、赤ちゃんだけを見つめたい」

二〇〇一年十月一日、東京女子医大（東京都新宿区）に乳児行動発達学講座が開設され、小西氏は教授に就任した。

「医学部に赤ちゃんの研究室が置かれるのは、国内では初めてではないでしょうか。世界でも珍しいと思います」と小西教授は話す。

これまでは、赤ちゃんの行動発達学の研究室といえば、大学の心理学系に置かれることが一般的で、小児科医が行動発達学を研究することも少なかった。

〝赤ちゃん学〟講座を医学部に置くメリットは大きいという。一般に大学の付属病院にはＮＩＣＵ（新生児集中治療室）がある。ここに、光トポグラフィーシステムや多チャンネル脳波計、ポリグラフといった機械を持ち込み、従来は困難だった、生まれたばかりの赤ちゃんの脳波を測ったり、脳内の血液量の変化を調べることも可能になる。小西氏たちのスタッフは常駐し、ＮＩＣＵの医師からも全面的な支援が受けられるだろう。

学内の倫理委員会を通して、すでにＮＩＣＵの生理機能検査室での実験をスタートさせている。

「医者でなければできない医療行為もあります。すでに海外の研究者からの問い合わせもあり、場合によっては共同研究も考えられる」と小西氏は話す。

同講座のスタッフは六人。

「小所帯だが、企業からの社会人入学は大歓迎。たとえば保育器メーカーが、先端の赤ちゃん学を知らないようでは困るし、消費者に失礼。産学協同はやっていくべきだと思うんです」と小西氏。

さらに、

「こうした研究機関は、国が積極的にやるべきで、国立のしっかりしたものが必要です。ここで研究成果を出して、そうした働きかけにもかかわっていきたい。赤ちゃんはあらゆる意味で出発点なんです。赤ちゃんが分かれば、ヒトが分かる。だからこそ〝これから〟が大切になります。未来を担《にな》うのは赤ちゃんなのですから……」

と夢を語ってくれた。

（担当・篠田丈晴、岸本佳子）

第二部　ことば

外国語の学習はいつから？……早すぎる教育は脳に混乱を生じさせるだけ

英語など外国語の学習はいつ始めたら、子供が効果的に習得することができるだろうか。

このテーマに対する日本の親たちの関心は高いし、ハウツー本や外国語教材も数多く出回っている。

しかし、「早い方がいい」と主張する研究者がいれば、「あわてることはない」と自重を促す専門家もいる。今のところ、〝正解〟は見つからない。ここでは、赤ちゃんの言語を研究するフランスと日本の専門家の考え方を紹介する。

「赤ちゃんには、生後間もなく母国語と外国語を聞き分けるなど、鋭い言語能力が備わっていることが分かっています。年齢を積めば、その機能は弱まっていくのです」

赤ちゃんの言語獲得過程を研究しているジャック・メレール博士（現・イタリア国際認知神経科学先端研究所所長）は、〝ネイティブスピーカー〟を育てる意味で、早期教育を勧める。

メレール博士の研究テーマは、「人はどのようにして言葉を学んでいくのか」。このプロセスが分かれば、障害をもつ人の言語教育に役立つうえ、外国語習得法の学問的基盤にも結びつく。それだけに親や教育関係者の寄せる関心も高い。

どの時期に、どんな刺激を与えればうまく言語を習得できるのか、赤ちゃんの脳機能を中心に研究し、解明していきたいという。

＊

一方、京都大学霊長類研究所の正高信男助教授（比較行動学）は、外国語の早期教育には慎重だ。

「母語（この場合、日本語）がおぼつかない段階で、英語など別の言語を同時並行で教えることは、子供の脳を混乱させるだけです。最悪の場合、どちらの言葉もまともに話せないこともあります」

実際、「このブックを取って！」「レッツ・イート　朝ご飯」などと、故意ではなく、ごく自然に話す日本人の子供たちが数多くいる。特に、欧米に住む若い日本人夫婦が、子供を現地のベビーシッターに任せきりにすると、このようなケースが多く見られるという。

正高助教授によると、母語の習得がある程度まで進まないと、子供は複数の言語に接しても、それがおのおの「別の言語体系に属するものの一部」であることが分からない。このため、母語と外国語のルールを混然一体で覚え込んでしまい、どちらもまともに学習していない中途半端《はんぱ》の状態になってしまうという。

「レッスンを早く積めば、発音はうまくなるかもしれない。しかし、ネイティブスピーカーのように発音できなければならないという、強迫観念にとらわれる必要もないのでは……」と正高助教授は話す。

＊

早期教育支持のメレール博士も、日本という単一言語社会の特殊性を指摘する。「オランダなどでは、六歳のときから第二外国語を学び始めます。けれども、ヨーロッパで話されている言語はその体系が似ているため、学びやすいのです。しかし、日本語は〝モザイク〟と呼ばれる特殊な言語であるうえ、赤ちゃんのころにバイリンガルの環境に置いても、結局待ち構えている社会は単一言語社会なのです」

正高助教授も「英語圏の人がフランス語などを学ぶことと、言語体系が全く違う日本人が外国語を学ぶことを同列で語ることはできないのでは……」と、同意見だ。

メレール博士は、日本人に見合った外国語の教育法は何か、そのための教育論でも研究されない限り、有効な言語教育法の確立は難しいともいう。

一方、正高助教授は「アメリカ人が日本語をどんなにすらすらと話していても、確実になまっています。外国人と会話する際、発音が流暢《りゅうちょう》であるかどうかは問題ではありません。大切なのは自分で思ったことを論理的に伝えられること。だから、外国語を学び始めるのは、中学一年からで十分だし、大人になってからでも遅くはないのです」と言い切った。

「語りかけ」……「1日30分で言語能力が伸びる」と教える育児書が話題に

「1日30分、静かな環境で赤ちゃんに語りかけるだけで、言葉や知能指数（IQ）が驚くほど伸びる」――こんな触れ込みで話題を呼んでいる「ベビートーク」プログラム。イギリスの言語治療士、サリー・ウォード氏が開発し、国内でも二〇〇一年、日本語版『0～4歳 わが子の発達に合わせた1日30分間「語りかけ」育児』(小学館刊)が出版され、関係者の関心を集めた。

この手法は本来、言葉のおくれや障害を持つ子供のコミュニケーション支援から生まれた。〇～四歳まで、子供の発達レベルに応じた語りかけのコツを具体的に示している。

ポイントは、①生後直後からたくさん話しかける ②気が散らない静かな場所で ③子供の興味に合わせる ④短い文章で分かりやすく ⑤ゆっくり大きめの声で赤ちゃん言葉や擬音語、繰り返しを使う――など。

逆に〝禁じ手〟もあり、①やたらと答えさせるための質問 ②言い直し・まねをさせる ③無理に注意を向けさせる――など、「しゃべらせるため」の工夫は逆効果という。

その「実績」について、同書は長期の追跡調査結果を報告している。

ウォード氏らはまず、言葉の発達がおくれ気味の十カ月児百四十人を抽出。言葉・身体的発達や社会背景が等しくなるよう二つに分け、片方だけ「語りかけ育児」を実践した。三歳になると、プログラムを受けた子供はほぼ全員が正常水準に達し、四歳半レベルの言葉の理解力を示す子もいた。一方、受けなかったグループの85%は依然、おくれがみられたという。

さらに七歳の時点では言葉のおくれが確認されたのは前者の四人に対し後者が二十人。平均IQやイギリスの全国標準学力テストの結果、情動や行動面でも同様の優劣が現れたという。

一見ごく単純な働きかけの積み重ねだが、子供の中では何が起こっているのか。翻訳を監修した東京大学大学院教育学研究科の汐見《しおみ》稔幸《としゆき》教授は、大事なポイントとして「子供の主体性」をあげる。

「言葉の意味を解さない赤ちゃんにとって、語りかけは『あなたに興味がある』『私を見てくれるとうれしい』というメッセージなのです。赤ちゃんの行動やしぐさ、音に丁寧に応じることの積み重ねで、赤ちゃんに『自分のやることは相手に反応をさせる効果がある』と思わせる。つまり『自分が主人公なのだ』と。その自己肯定の感覚が自信や意欲につながり、言葉を伸ばすのです」

逆に、早期教育にありがちな「しゃべらせるため」の指示は、「それで言葉を覚える子もいるが、試行錯誤による発見がなく、常に『自分は指示どおり正しくできているのか』という否定感がつきまとう」と警告している。

また、大人が子供の関心に合わせることも、大事な原則だ。例えば、コップを見つめていれば「コップだね」と〝後追い〟で語りかけ、決して無理に注意を向けさせないのだ。

これは「共同注意（ジョイント・アテンション）」と呼ばれる。やはり翻訳に携わった言語聴覚士、中川信子氏は「脳の注意・集中力をつかさどる部分が活性化したときに聞いた音は、脳の聴覚領に届きやすく、記憶されやすい。まさに『好きこそものの上手なれ』で、同時に大人への信頼感にもつながる」という。

語りかけと同様の考え方はすでに、米コロラド大で開発された行動療法「インリアル法」として実践されてきた。

一例をあげると、①子供の行動や音、声をまねる　②代わりに言葉にする　③大人の気持ちを言葉にする　④間違いをさりげなく言い直す――などで、中川氏も十年間以上、言葉の遅い子供の支援に活用。著書『ことばの遅い子』（ぶどう社刊）でそのコツを紹介している。

「いずれも子供の言語環境を調整し、発達を下から支える手法です。科学的根拠を示すのは難しいが、それだけにウォードさんの実験結果は説得力があります」と中川氏は話す。

語りかけは昔ながらの子育ての知恵ではあるが、それを体系化したところが〝マニュアル世代〟向けともいえよう。

汐見教授は「最近の親は動物的、直感的なコミュニケーション能力が萎《な》えてきている」と指摘した上で、「実践するのに母である必要はない。あまり神経質にならず、三十分が無理なら五~十分でも試してみては」と勧めている。

話す仕組み……笑い声が最初のレッスン、生後三カ月からのどが発達する

赤ちゃんは、どのようにして声を発して、大人にも分かるような言葉を話せるようになるのか。そして、無数にある単語の意味をどう理解していくのか。

前出の正高信男助教授によると、最近十数年の研究でかなり分かってきたという。比較行動学の立場から、赤ちゃんが言葉を獲得していくメカニズムを細かく見つめてみよう。

＊

今から数年前、正高助教授は「赤ちゃんは、生後三カ月ごろになるまで声を出して笑えない」ことを発見した。偶然、生後三カ月ごろの赤ちゃんが母親におなかをくすぐられ、「ハ、ハ、ハ」と、口から笑い声を出している様子を観察できたことがきっかけだった。

「それまで、赤ちゃんの笑い声を研究する人もいなかったし、それを言葉に結びつけることもありませんでした。『ハ、ハ、ハ』と声を出すときは、母音と子音が組み合わさっており、複数の音節も認められます。これはすでに立派な言葉ですね」

こう話した正高助教授が、実際に生後三カ月以前の赤ちゃんのおなかをくすぐってやると、「ハッハッハ」と笑おうとするが、それは口から出ずに、息が鼻から抜けるだけだった。

なぜ生後三カ月以前は笑えないのか。

それは発声器官の構造に原因があった。三カ月以前では、チンパンジーなどのサルとほぼ同じ構造なのだという。

＊

三カ月ごろまでは、軟口蓋《なんこうがい》と咽頭蓋《いんとうがい》が接し、咽頭壁とともに空気の通り道を形成し、

成人と新生児の、のどの形態比較

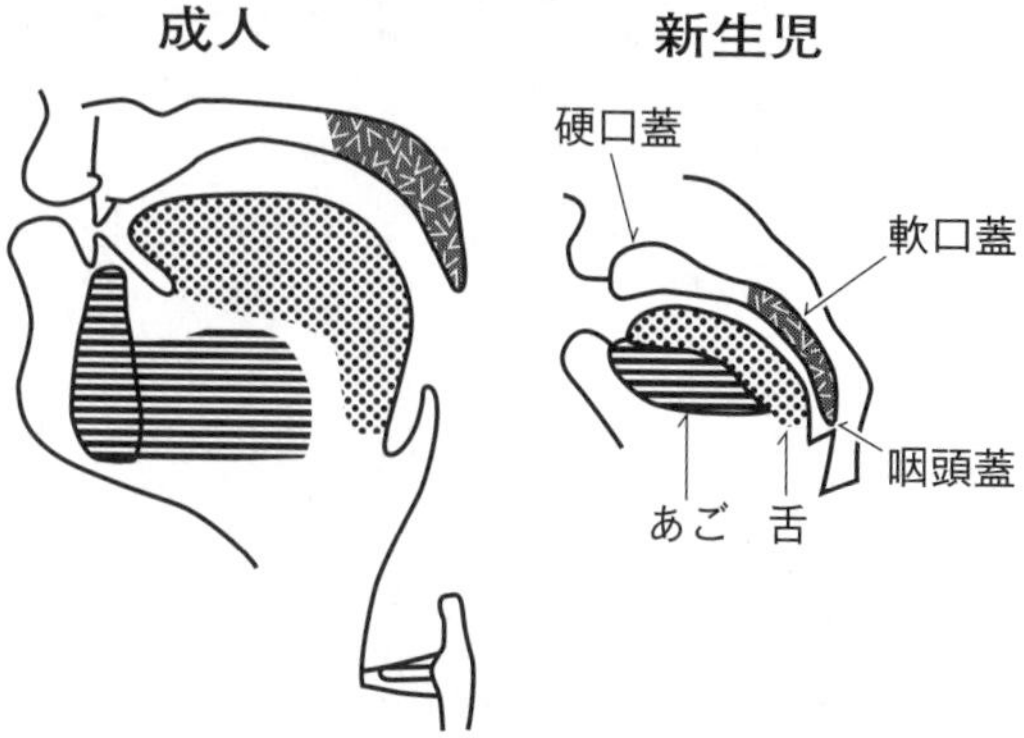

正高信男著『子どもはことばをからだで覚える』(中公新書から)

3カ月を過ぎると、口腔内の骨格が急速に発達して、
大きな声が出せるようになる。

鼻から咽頭に入り、気管を経て肺に至る気道が常に確保されている。この段階では「アー」とか「クー」などクーイングと呼ばれる発声をしているが、それは鼻から抜けている「音」でしかない＝前頁図参照。

　正高助教授は「こうした構造であれば、物を食べながらでも声を鼻から出せます。野生のサルならば、油断しがちな食事中でも、捕食動物から身を守るために仲間に対して警戒音を発せられるのです。だから、この段階の赤ちゃんは、構造的に〝サル〟みたいなもの。普通、人間は食べながら声は出せませんから」と説明する。

　しかし、三カ月を過ぎるころ、下あごや、のどを包んでいる骨格が急速に発達し、気管の先端部が沈降する。同時に、軟口蓋との間で咽頭が拡張し、口腔《こうこう》内で共鳴を十分に与えられた音を、かなりの音量で発することを可能にする素地ができるのだという。

「口腔内にできた空洞が共鳴箱の役割を果たし、声帯という膜の振動が増幅を受けて、口から声を発します。『ハ、ハ、ハ』は声帯の振動があって初めて出せる笑い声なのです。つまり、赤ちゃんは生後三カ月を経て、ようやく言葉を話す素地ができるんです」

　笑い声は、これから言葉を話し出すことを知らせる〝信号〟なのかもしれない。

＊

赤ちゃんが言語音に近い音を発するようになると、非常にかわいい声に聞こえ、母親たちはより愛情を込めた返事を本能的に返す。すると赤ちゃんは、うれしいからますますかわいい声、笑い声を出す。正高助教授は「その笑い声が言葉を話し出すためのレッスンになる」という。

「レッスンにより、まず長く笑えるようになります。でも最初のころは、短くしか笑えない。それは息を一度に全部出してしまうからです。それが次第に息を長く出し続けられるようになり、長い音節が可能になる。続いて、すばやく笑えるようになり、スピーディーに音を切りながらテンポよく笑います。息を切るという運動が、だんだんリズミカルに早くできるようになるわけですね」

実際、人間は言葉を話すとき、すばやく、そして長く声を出す。赤ちゃんたちは笑い声でレッスンをしながら、話し出す準備をしていることになる。

正高助教授によると、こうしたレッスンは生後九カ月ごろまで続く。赤ちゃんはこのころ、耳で聞いたものを大人でも分かるような五十音に近い音を使って、まねし始めるという。

言葉を蓄積する……お母さんは、絵本を繰り返し読んであげて

正高信男助教授は「こうした発声器官の成長・レッスンと並行して、実は赤ちゃんは言葉の認知という作業を生後九カ月ごろまで行っているのです」と話す。

正高助教授の実験や観察から、赤ちゃんたちは、耳で聞いたものを頭に記憶としてとどめ、それを模倣しながら言葉を獲得していくことが分かってきた。だから、まず聞くことが重要なのだという。聞いた記憶がないと、まねもできない。

さらに、赤ちゃんが興味をもつものであれば、何回も聞かせた方が効果的らしい。

「最初のころ、赤ちゃんは人の声を音楽のように聞いています。全体の声の抑揚をメロディーとして聞き、好みも出てくる。そのうちに、話し声や音楽のメロディーが、いくつかの音の単位の連鎖であることが分かってくるのです。やがて単語の切り出しが可能になります」

親たちは無意識のうちに、抑揚のある「メリハリ」のきいた言葉を赤ちゃんに浴び

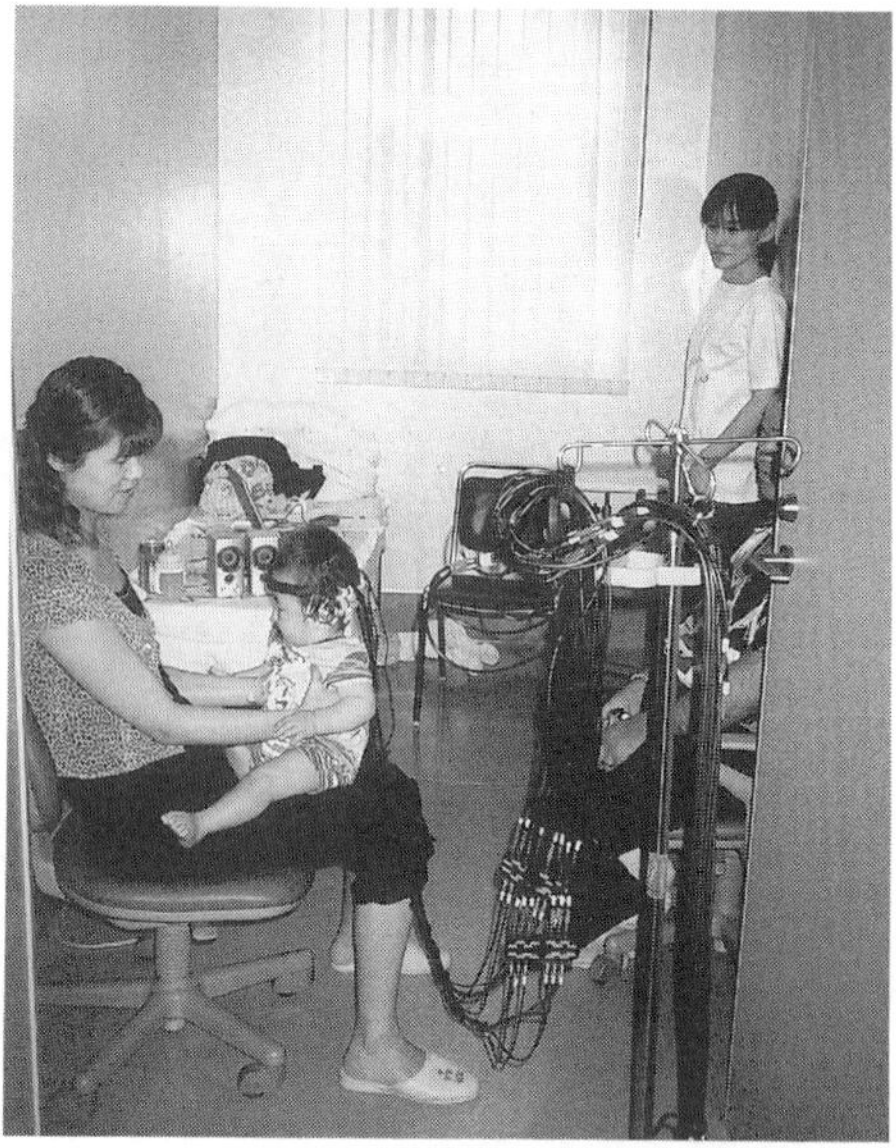

生後数カ月の赤ちゃんの脳機能から、言葉の仕組み
を調べる正高助教授の実験。＝資料写真

せている。また、子供向けの歌のメロディーは「大きな栗《くり》の木の下で」のフレーズにあるように、まとまりがよい。子供を取り巻くこうした環境が、連続音の分節処理を容易にしているという。

*

単語の切り出しが可能になると、赤ちゃんは次に、頭の中に記憶として蓄えるようになる。

正高助教授は、この時期の赤ちゃんたちへの教材として、絵本が最も適しているという。そこで、生後八カ月ごろの複数の赤ちゃんに一日二回、半月間にわたって同じ絵本を読んであげることを試みた。計三十回聞かせたことになる。

実験から二週間の間隔を置いて、赤ちゃんたちにその絵本に出ている単語、例えば「ウサギ」を録音して何度も聞かせると、興味を持って、じっと音が出てくる装置の方を注目した。しかし続いて、絵本には出てこなかった未知の新しい単語を聞かせると、赤ちゃんたちは視線をそらしてしまった。

正高助教授は「実験から、この段階の赤ちゃんが、二週間も前に耳にした言葉を頭の中に記憶していることが分かりました。赤ちゃんが喜ぶ、興味をひくような絵本などを見つけ、何度も繰り返し読んであげれば、記憶は自然にたまっていくのです」と主張する。絵本が嫌いな赤ちゃんは基本的にいないという。

もしも興味を示さないならば、聞かせている題材が悪いだけで、別の絵本を読んであげたほうがいい。もう一つには、読み方が悪い可能性も考えられる。もっと抑揚をつけて、歌うように読んであげるとよいかもしれない。

さらに、正高助教授は「面倒くさがって、赤ちゃんに言葉を記憶させるためにテレビを使ってはだめです。親がそばにいて、きちんと相手をしてあげないと効果がないのです。九官鳥でも、飼い主が相手をしてやることで、まねができるのですから」と付け加えた。直接、語りかけてあげることが大切なのだ。

＊

生後九カ月以降になって、ある程度の単語の記憶が頭に蓄積されたとき、赤ちゃんは「笑い声」以外に、つたないながらも五十音に近い声を使って、話し出そうと試みる。それはこれまでのように、ただ無邪気に反応するだけではなく、自分が今までに聞いて記憶してきたことを再生産しようと思い始める。

例えば、母親を見て「マンマ」、父親を指差して「パアパ」、自動車のおもちゃを見て「ブーブー」という具合だ。生後九カ月から一歳になるころまで、こうした練習を続ける。

しかし、助教授は「基本的に記憶している単語だけしか、赤ちゃんは練習しない。だから九カ月ごろまでに、無理をせずに、単語を覚えられるように仕向けることが大切です」とも言う。

生後九カ月ごろ。この時期、笑い声のレッスンが一段落する。しかし、言葉を獲得するための大切な時期であることは間違いない。

意味を理解する……赤ちゃんは「属性」を絞り込み、体を使いながら覚える

生後九カ月が過ぎ、笑い声のレッスンでいろいろな音が出せるようになり、記憶にとどめた単語を口から再生産しようとしても、赤ちゃんはそれだけで自分が発する言葉の意味を理解したことにはならない。中学一年生が、"This is a book." という文を与えられ、反復練習して英語を学習していくのとは、事情が違うからだという。

「私たちが外国語を習得する場合、"book"という音を聞かされて、〝本〟だと容易に理解できるのは、すでに頭の中に〝本〟という概念が確立しているからです」と、正高助教授は説明する。

「赤ちゃんにとって、『これは本よ』というのは、身の回りにある特定の物を指して〝本〟だということが分かっているだけにすぎません。今まで見たことがない〝これ〟を見たときに、それが本であるか否《いな》かが、分からなかったら、意味を理解したことにはなりませんからね」

例えば、赤ちゃんが初めて目にした本が青い帯表紙であれば、それを本と理解する。しかし、赤い帯表紙だったら、本とは別の物として理解してしまう可能性もある。

＊

では、赤ちゃんは、どのように言葉の意味を理解していくのか。

正高助教授は「実は、子供は〈属性の絞り込み〉という難しい作業を行っているんです。この絞り込みができるようになって、〝これ〟が本だと分かり、〝あれ〟も本であることが分かるようになります。特定の対象物にある無数の特徴・属性の中から、本であるということに対応する属性をうまい具合に絞り込むのです。子供は、これを体を使って覚えるんです」と話す。

例えば、赤ちゃんに〝ボール〟を与えてみる。母親から「ボールよ」と言われて、初めて手にしたとき、赤ちゃんは「丸いこの物体がボールなんだ」と理解する。そして、ただ単に見て触るだけでなく、ボール遊びの中で、投げて転がる様子も記憶する。子供なりに「ボールというのは、こういうものなんだ」ということを、体を使って覚えていくのである＝左頁表参照。

正高助教授にはこんなエピソードがある。

二男が、ボールペンなどの筆記用具を「ジージー」と勝手に名づけた。母親が「これで字を書くんだよ」と教え、ほかの家族が実際に字を書いているところを見かけたことに由来するらしい。落書きされると困るため、インクの出なくなったペンをおもちゃとして渡すと、二男は懸命に字を書くまねをしながら、「ジージー」と繰り返した。

＊

こうした赤ちゃんの身体動作に基づく意味の絞り込みについて、正高助教授は東京電機大学の小林春美助教授の実験を紹介している。

赤ちゃんのボールに対する認識パターン例

	ボールへの行為	ボールに対する認識
1	漫然と眺める	球体、色、光沢。音はしない
2	触ってみる	つるりとした感触 手のひらにおさまる大きさ
3	においをかぐ	ゴムのにおい
4	投げる	コロコロ弾んで転がっていく
5	再び眺める	弾む様子、リズミックな音

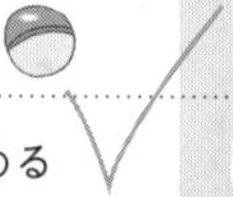

（正高信男・京大霊長類研究所助教授作成）

初めて手にしたボールを見ても、赤ちゃんには
丸い物体でしかないが、触ったり投げることで、
遊び道具だと分かるようになる。

実験では、世の中に存在しない架空の「ムタ」という名前を使い、クリスタルガラスの卵形の物体を持ってきて「これはムタよ」と赤ちゃんに教える。その後、①プラスチックの黄色い卵形の物体　②クリスタルガラスでできたピラミッド形の物体——の二つを用意する。そして、「どちらがムタ？」と聞いた。

最初に、クリスタルガラスの卵形を透かして見ながら「これはムタよ」と教えた場合、子供はクリスタルガラスのピラミッド形の物体を「ムタ」と理解する。しかし、コロコロと転がしながら「ムタよ」と教えると、黄色い卵形の物体を「ムタ」と理解する。

正高助教授は「赤ちゃんはいつも、親たちが言葉を教えてくれるときの様子を見ている。親たちの動作を見ながら、自分でも身ぶりし、なぞらえる形で言葉の意味を理解していく」と話す。

属性を絞り込み、基本的な言葉の意味を理解する作業は、一歳半ぐらいから始まり、三歳になるまでに、ほぼ完成する。ヒトは、生まれてから言葉を獲得するまでに、実に三年の長い年月を要するわけだ。

音声知覚の発達……「ん」を含む言葉に、生後半年以下で反応する

生まれてまもない赤ちゃんは、人の「声」を音楽のように聞く。それがやがて、単語や文として意味をつかむようになる。では、その能力はどのように発達していくのだろうか。最近の乳幼児の音声認識に関する研究を紹介する。

＊

「ねんねしようね」「わんわんがいるね」。東京学芸大学の林安紀子《あきこ》助教授は、親が赤ちゃんに語りかける赤ちゃん言葉（対乳児音声）に注目し、音声知覚の発達を知ろうと研究している。

まず、日本人の母親が使う赤ちゃん言葉を調査したところ、言葉の途中に「ん」「っ」「ー」を含む、三拍または四拍の言葉（例・ねんね、くっく、ぶーぶ、わんわん）が多いことが分かった。

続いて、この特徴を持つ「とんと、ねーに……」と、そうではない「ととん、ねにー……」という声を聞かせ、どちらを長く聞いていたか（振り向いた時間）を調査。

その結果、四～六カ月では統計的に有意な差は見られなかったが、八～十カ月では「とんと、ねーに」のほうを長く聞いた。

つまり、赤ちゃんは生後半年を過ぎると、赤ちゃん言葉の特徴をもつ声を好んで聞いていたわけだ。現在はさらに細かく実験を進め、「っ」を含む言葉には一歳近くでも反応しないが、「ん」を含む言葉は半年以下の赤ちゃんでも反応することが分かってきた。赤ちゃん言葉は、音声知覚の発達を知る上で、ひとつの手がかりとなりそうだ。

ところが最近、林助教授の元を訪れるお母さんの中には、「（母親が）赤ちゃん言葉を知らない」「使わないほうがきれいな言葉を学べるのでは」という人がいるという。

健常に発達している赤ちゃんは、赤ちゃん言葉で語りかけなくても成長する。ただ、発達にアンバランスな側面を抱えている場合は、「親が分かりやすい赤ちゃん言葉で語りかけないと、問題が生じる可能性がある」と林助教授は話す。

「ことさら赤ちゃん言葉を使うこともないけれど、排除する必要もないと思いますね」

＊

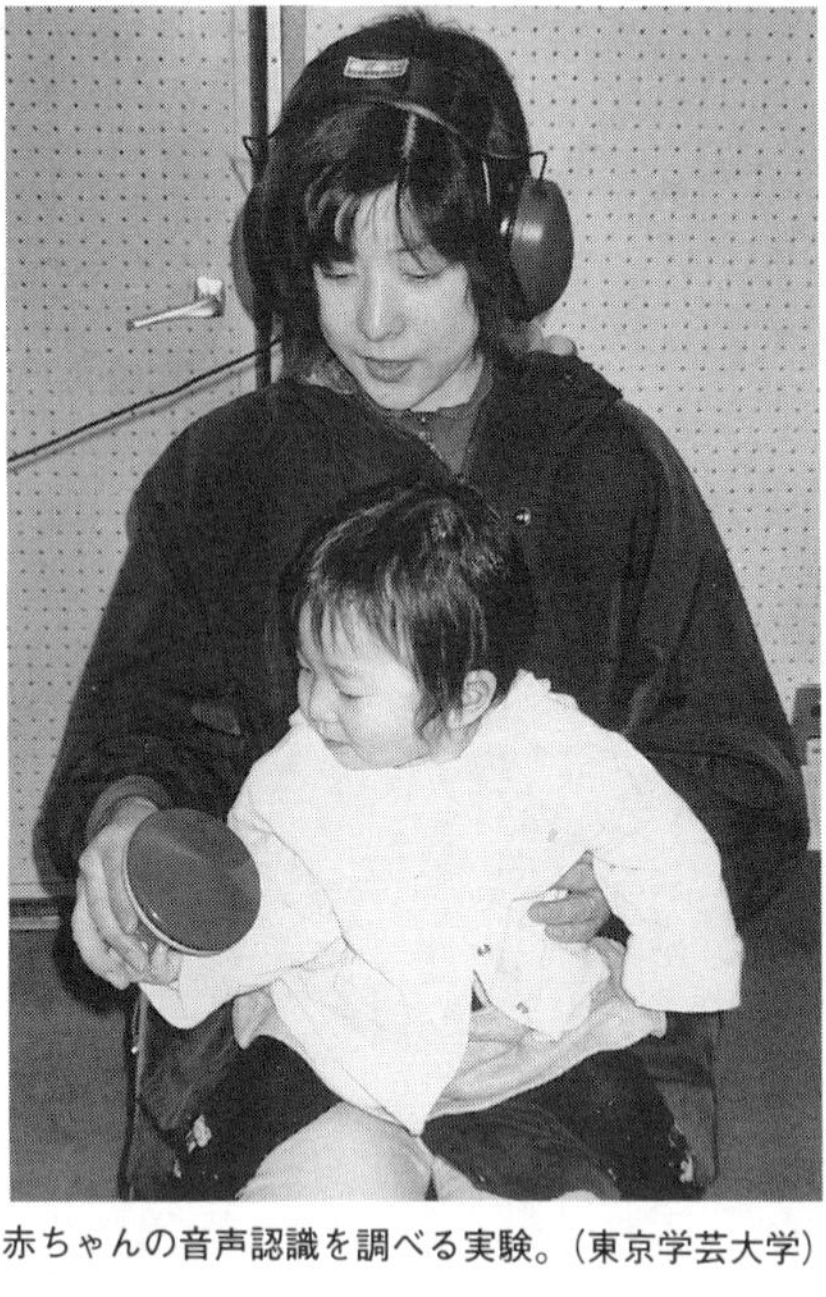

赤ちゃんの音声認識を調べる実験。(東京学芸大学)

日本人の成人が英語を学習する際に、苦手とするのが「r」と「l」の聞き分けだ。ところが最近、赤ちゃんはこの二つを聞き分けていることが、対馬輝昭《つしまてるあき》・流通科学大学助教授の実験から明らかになった。

対象となったのは、生後半年から一歳までの赤ちゃん。母親に抱っこされた状態で「rak、rak……」という合成音を聞かせる。そして、赤ちゃんが音の聞こえる方向を見つめた時間を計測する。飽きて凝視する時間が短くなったら、音を「lak、lak……」に変えて、再び凝視した時間を計る。

四年間かけて、年少グループ(生後六〜八カ月)と年長グループ(十〜十二カ月)に分けて実験した。そして音を「rak」から「lak」に変える直前の「rak」凝視時間の平均値と、変えた直後の「lak」凝視時間の平均値を比較した。

その結果、年少グループでは有意な差が認められたが、年長グループには認められなかった。生後半年の赤ちゃんは母国語(日本語)にはない音声(rとl)を聞き分けることができたのに、十カ月ごろには成人同様できなくなっていた。

なぜなのか。実は諸説あって定説はまだない。ここでは、この研究チームの代表を務めた神戸海星女子学院大学の河野《こうの》守夫《もりお》教授の「全体的音声処理機構」と「分析的音声処理機構」という二つの機構による仮説を紹介する。

赤ちゃんは音声を聞くと、ありのままに聞き取り記憶する「全体機構」によって受けとめる。この段階ではrとlは別々の音として聞いている。

ところが一歳近くになると、母国語の音声ルールを作っている「分析機構」が働いて、日本語の音声にはないrとlの違いは、無視してしまうというのだ。

＊

こういった研究が進むことで、「言語障害の治療や外国語の学習法など、さまざまな波及効果が考えられる」（河野教授）という。

聴覚障害を専門としている林助教授も「生後一年の赤ちゃんの音声認識を知ることで、障害の治療に役立つのでは」と期待している。

乳幼児の英語習得……基本言語が未成熟な段階では悪影響を及ぼすことも

新学習指導要領に基づき、二〇〇二年春から小学校でも選択で英語教育が始まった。

また「赤ちゃんは天才」とする考え方の広まりから、子供の英語学習開始年齢は大幅に下がり、乳幼児期の英語教育はいまや〝常識〟と化している。

だが、人の言語や精神の発達・成長機能の面から言語学習に最適な時期や方法論はまだ確立しておらず、十分な検証もされていないのが現状だ。幼児に日本語会話を禁じ、英語漬けにする究極のバイリンガル教育もお目見えしているが、異言語環境に突然放り込まれた子供は「自然に」英語を獲得してバイリンガルになるのだろうか。

アメリカ・ニューヨーク州で二十五年以上、日本人の乳幼児教育に取り組んできた邦人幼稚園での実践を通して、乳幼児の言語習得について考えてみよう。

*

ニューヨーク州ホワイト・プレーンズ市。マンハッタンのグランド・セントラル駅から通勤電車で三十〜四十分。豊かな自然に囲まれた静かな環境に「ニューヨークこどもの国幼稚園」はある。敷地は約十九エーカー(約七・七ヘクタール)。ユダヤ人コミュニティーセンターの一角を借りた園舎に、約百二十人の園児たちが通っている。

この幼稚園で、在米日本人ビジネスマンらの子供の成長を二十五年以上、見守ってきた早津邑子《くにこ》園長は、日本語で育ってきた子供が突然、異言語で形成される「英語環境」へ入ったときに起きるトラブルと数多く出合ってきた。いずれも基本言語が未成熟な段階で異言語環境に入り、「成長の空白」が生じることが原因だったという。

「突然、口をきかなくなる子供や、精神的、言語的な成長が一定期間滞り、五歳児なのに三、四歳並みの認識、表現能力しか示さなくなってしまう子供もいます。こうした悪影響が出ると、ケアのために大変な努力を要します」

赤ちゃんや幼児にとって、それまで住んでいたのとはまったく別の言語環境に突然放り込まれることは、非常に大きなストレスを伴うものだと、早津氏はこれまでに肌で感じてきた。

そして「子供は確かにいろいろなことに高い適応能力をもっていますが、これは多様なもので、言語習得の面だけに限定的にとらえて早期教育を受けさせるのは問題が大きいのです」と、最近の英語教育の早期化に疑問を呈する。

＊

海外赴任した親が、小さいうちから英語を習得させようとして子供を現地学校に入れる……。現在、英語圏に赴任する日本人の大部分がそうしている。

英語の習得に苦労した経験を持つ親にとって、自分の子供がネイティブのような発音で英語をペラペラと話すのは、大きな誇りでもある。

「そういう親心はよく分かりますが、うまく現地学校に適応できた場合でも、帰国後に残るのは発音だけです。それと引き換えに失うものの大きさに気付いてほしいですね。まして現実には、すぐに適応できずに苦しみ、成長の空白が後々までよくない影響を及ぼす子供が多いのです」

早津氏はこう言い、幼稚園の一教諭の立場から見てきた子供たちのことを語りはじめた。

＊

両親ともに日本人のA子ちゃんは、渡米後の二年間をアメリカ人が経営するナーサリー（未就学児の集団保育施設の一種）で過ごし、五歳からの二年間、「こどもの国幼稚園」に通園した。

言葉の使い方や語彙《ごい》の問題はもちろんのこと、絵を見せたり音楽や物語を聞かせたりしても、そこから何かを感じ取って、通常の子供が見せるような反応ができなかった。

「刺激に対する感受性や表現力が一、二歳ほど幼かったようです。ある刺激を受けたときに人が示す反応は、特定の文化的背景や習慣と無関係ではありません。A子ちゃんの場合、子供なりの文化や言語のルールの習得が不十分だったのでしょう」

A子ちゃんの様子を見て、早津氏は「同年代の子供集団で、夢中になって遊んだり、体を使ったコミュニケーションをしたりしたことがないのではないか」と直感したという。

子供は子供のレベルで、意思疎通《そつう》できる仲間集団の中で、言葉だけでなくその社会のルールや文化を学んでいく。異言語の集団に突然入って、それまでに獲得したルールが通じなくなった子供は、外界との意思疎通の手段が閉ざされてしまい、成長の空白期に陥ってしまうのだ。

早期の外国語教育は、子供の発達とのバランスを取りながら進めることが重要である。

バイリンガルの難しさ……ヒトは一つの言語でしか自分の世界を構築できない

午前十一時半を回ると「ニューヨークこどもの国幼稚園」が間借りしているユダヤ人コミュニティーセンターの敷地内にある体育館は、ランチルームに早変わりする。携帯拡声器を抱えた先生の声が響き、懐《なつ》かしい「お弁当の歌」の合唱に続いて、全員で「いただきます！」とあいさつする。

百人余りの園児の楽しそうなおしゃべり、笑い声――。会話はすべて日本語である。「おじさん、だれのパパ？」。好奇心一杯の表情で次々に聞いてくる園児が多いなかで、B子ちゃんは違った。クラスメートとの会話も必要最低限で控えめだった。

B子ちゃんは、日本人の母親と米国人の父親をもつ。「わたし、好き、ピザ」。注意深く聞くと、言葉の端はしに違和感がある。

先生の一人によると、B子ちゃんは三歳で通園するまで、ものごとを英語で考えていたという。家庭ではそれまで、母親とは日本語で、日本語のまったく分からない父親、兄とは英語で話す生活で、英語が基本言語となっていた。

「通園当初は感情表現は英語でした。日本語のしりとり遊びをしていて、よく友達とけんかをしていました。言葉が出てこない自分に腹を立てていたのでしょう」と先生の一人は言った。

＊

日英の二重言語に混乱すると、「～は」「～を」などの助詞を抜いたり、「行く、来る」「もらう、やる」などの「往来」を示す言葉をあべこべに使ったり、「アイ・好き・ユー」「おしっこを感じる」（おしっこがしたい）など英語構文と日本語単語を混用することがある。

こうなると、考えをまとめて会話することがおっくうになる。コンプレックスから友人関係も築けず、「思いやり」「協調性」「自律性」や「集団内のルール」など幼児期にこそ獲得しなければならない「言葉以前のコミュニケーションの基本」ができず、「成長の停滞（空白）」に入るという。

こうした障害は、日本語の習得が不完全なまま英語環境に入った場合によくあることだが、今後、さらに英語教育の比重が大きくなり低年齢化が進むと、国内でもおきかねない問題だ。

早津園長は、異なる言語環境に突然放り込まれた乳幼児の言葉と精神の発達過程を長く見守りながら、「二つの言語を操るとはどういうことか」を突き詰めて考えてきた。

＊

やがて言語は思考（考え方）そのものであり、思考はそれを成り立たせている文化、歴史、社会的背景と不可分なものだ、という考えに至る。

人間は同時に二つの言葉でものを理解し、考えることはしない。一つの言語で自分の世界を築き、外界を少しずつ理解して成長し、第二言語は第一言語を使って習得することに気づく。

早津園長は「この過程は非常にゆっくりで微妙なものですから、乳幼児を英語のテープ漬けにしたり、ネイティブでない親が英語で話しかけたり、異言語環境に子供だけ突然放り込んだりと、成長の空白を呼ぶようなことはしないほうがいいのです」と話す。

ではバイリンガルは、一体どうやって生まれるのか。

例えばアメリカ人と英語で会話をするには、アメリカ人の抱える歴史や文化、社会

第二言語として英語の授業を受ける子供。(ニューヨークこどもの国幼稚園)

的背景が体に染み込んでいることが必要だ。でなければ、その状況に対応し英文として正確に意味を伝える文章や単語は出てこない。逆に、日本語で正確に考えや状況を伝えるにも、日本の社会や歴史や文化的背景を前提としないと、文章が出てこない。

二人の息子が少しずつ英語を覚えて成長する過程で、園長はこの壁に突き当たる。「発想法の違いを正しく理解させるために、これはアメリカの発想、それは日本の発想という具合に、いちいち確認する……。すなわちバイリンガルは複眼視なのです。それは、一つの人間の中で二つの文化が闘っているわけで、やればきりがない。親子で悩んで散々泣きました。そうして息子たちは二十年かけてやっと、バイリンガルになったのです」

母国語の理解が基本……生活体験を経て、初めて「生きた言葉」を習得する

日本語を母国語としながら、家庭と幼稚園以外のすべての日常生活を英語環境のなかで過ごす「ニューヨークこどもの国幼稚園」の園児は、英語をどのように吸収して

いくのだろうか。

園児の母親の話を聞くと、〝日本語ネイティブ〟の乳幼児が英語環境を受容し、次第に英語力を獲得するプロセスの一端が分かって興味深い。

五歳児クラスに長女、二歳児クラスに二女を通わせる三橋真理さんは、日本語と英語の〝二重言語環境〟に入った子供の言葉遣いの変化を観察してきた。

「あるとき娘が『おしっこの気持ちがするの』と言いました。当人は『おしっこがしたい』という自分の気持ちを表したのでしょうが……」

英語は、状況を認識、把握する感覚や規則が日本語とは違う。英語を習得するということは、これまでとは違った認識観を受け入れることだ――。三橋さんは改めて感じたという。

その後長女は、幼稚園で同世代の日本人の仲間と過ごす時間が長くなった。同時に日本語の理解力と表現力が上達し、それに伴い、英語表現も正確になったという。

松出洋子さんの長女は、言葉を発しはじめた一歳半のころからアメリカに住み、現在、五歳児クラスに通う。松出さんは長女を通して、日本語で生活する子供が英語を習得する過程を見てきた。

「ＡＢＣも分からず、こちらのキンダー（保育施設）に通っているころから、日本語の本を読み聞かせた結果、日本語の語彙《ごい》が増え表現力がついてきました」

そして日本語力が、ある段階に達したとき、英（単）語の〝読み方の原則〟を理解し、英語のスキル（習熟度）が急速に上がってきたという。

こうした現象は、言語学では「相互依存説」という学説で説明されることがある。

＊

日本では一般的に、テープを聞かせるなど〝論理より実践〟が効果的とされる子供の英語習得法は、実は日本語の習熟と論理能力が大きく関係している——。こんな印象を受けたのは、この二人の母親に限ったことではない。

子供が英語を習得していく過程を見た多くの親は、「子供の頭の中には基本言語（母国語）を通じて外国語を少しずつ、理解する仕組みがある」と感じている。

子供の第二言語習得プロセスは、一般的に考えられているよりもはるかに論理的な仕組みに支えられているようだ。その点では「赤ちゃんは天才」であり、「子供の能力は無限」と言えるかもしれない。

「子供が英語とも日本語ともつかない言葉で、突然独り言を始めたときのショックをいまでも忘れられない」

こう言う山内真理奈さんは「英語の習得に極端な早期教育が有効で、必要だ」という考えには懐疑的だ。

「海外で乳幼児から子供を育てると、まず母国語の語彙や表現力、論理的な展開力をしっかりと養い、考えたり、理解する力の基礎を作ることが大切だと痛感します」

五歳児クラスに長女を通わせる藤本洋子さんは、一時期流行した「英語習得のために家庭内でも英語を使うのがよい」という〝常識〟に疑問を感じていた。

「英語的発想、語感を持ち合わせていない人が英語で語りかけると、子供は混乱します」と山内さんは話す。

　吉村朝子さんは、まだ子供に英語教育を受けさせていない。三歳児のクラスに通う長女が、英語の本の読み聞かせを嫌がったからだ。

「在米一年二カ月になりますが、英語はまったく教えていません」という吉村さんは、長女には毎日「日本語の語りかけとスキンシップ」で、親子のきずなを深めているという。

＊

「こどもの国幼稚園」が二〇〇一年、創立二十五周年を記念して出版した『夢をのせていま世界へ』の中で、早津邑子園長は、こんな一文を寄せている。

《（略）返事も見返りも期待しない一方的な語りかけ。お母さんの言葉——母語はこのように育《はぐく》まれていきます。繰り返しの語りかけと生活体験が結びつき、子供は生きた言葉を話すようになります。言葉は身体や心の発達と深いかかわりがあります。言葉は理解ができてから話せるようになります。言葉の発達は生活環境と密接なつながりがあります》

（担当・篠田丈晴、岸本佳子、福本義彦、加藤達也）

第三部　テレビ

「ポケモン事件」……過大な刺激に対応できない子供たちの脳

一九九七年十二月十六日午後七時ごろ。全国で一一九番通報が相次いだ。その数約七百件。人気アニメ番組「ポケットモンスター」を見ていた子供たちが突然、けいれん発作を起こしたり気分が悪くなったりして、次々と病院へ運ばれた。いわゆる「ポケモン事件」である。

子供に人気の高いアニメ番組だっただけに視聴者はもちろん、テレビ局など制作側にも大きな衝撃を与えた。「テレビにかかわる人間にとっては、いまだに暗い思い出」と関係者は当時を振り返る。

テレビはなぜ、加害者となってしまったのか。

＊

事件後、厚生省（当時）は専門家による研究班を立ち上げ、原因究明にあたった。

その結果、事件の原因となった映像は午後六時五十分ごろの放映部分で、周期的（一秒に十二回）に赤と青が入れ替わる画像であったことを突き止めた。

では、赤と青の周期的な刺激は、人間にどんな影響を及ぼすのか。

研究班は健康な成人を対象に、ＶＥＰ（視覚誘発電位）やｆＭＲＩ（核磁気共鳴画像法）を使って、脳の働きを調べた。そして赤・青点滅刺激は大脳を広範囲に興奮させることが明らかになり、後頭葉内側面が活発化していることも分かった。

「赤と青という色、そして一秒に十二回という刺激の頻度などの条件が重なり、いわば非常に効果的な状況を作り出してしまったのです」と、研究班の班長を務めた埼玉医科大学副学長の山内俊雄《としお》教授は話す。

また研究班は、大規模な実態調査も行っている。

全国約一万人を対象に行った調査からは、暗い部屋、テレビとの距離が一メートル以内、一人で見ていた――という人に健康被害が多く発生していたことがわかった。けいれんやひきつけといった既往症があったのは13・7％。八割近くはそういった経験がなかった。

しかし事件後、医師の診察を受けた人の脳波を調べてみると、発作の既往がなくても37・5％は一般脳波に異常があり、光刺激に反応して脳波異常が見られた人となると、65・6％にのぼっていた。

「人の脳というのは実はだれでも、発作を起こし得る力をもっているんですよ」と山内教授は話す。

「子供は抑制系が発達していないので、特に十三～十四歳ぐらいまでは発作を起こしやすい。ただしそれは、どれほど強い刺激が入るかによって決まってくるのです」

＊

事件後、日本民間放送連盟とＮＨＫは、「アニメーション等の映像手法に関するガイドライン」を策定した。ここでは、事件を教訓にして、映像や光の点滅は原則として一秒に三回を超える使用を避けることなどを決めている。

また良好な環境で視聴してもらうため、アニメ番組などの冒頭で「テレビをみるときには部屋を明るく」といった注意を流している。

「ポケットモンスター」を放映していたテレビ東京では、より厳しいガイドラインを作った。現在も、スタッフが交代したり新しい番組を立ち上げる際には説明会を開いてガイドラインを説明し、現場に徹底させているという。

「たとえどんなにいい作品ができても、ガイドラインが守られていないようなものは放映しません」と広報部では話している。

では今後は、大丈夫なのか。

「少し心配はあります」と山内教授は言う。

例えば演出が派手なコンサート番組では、強烈な光があちこちで発せられる。それが発作を招きやすい条件と重なったときに、発作を起こさないとも限らないという。

自然界には存在しなかった刺激にさらされてしまう時代。思わぬところで、脳が過大な刺激を受けてしまう可能性が潜んでいる。

山内教授は「テレビも自然界に近い状況の映像を作ることが必要でしょう。自然界で発達してきた人間の脳は、非自然界に対応するようにはできていない。だからそのような刺激は好ましくないのです」と話している。

二カ月児の脳の変化………刺激の一部をじっと注視するくせがある

一九五三年に日本でテレビ放送が始まって半世紀。

今や、テレビやビデオのない家庭を探す方が難しい。家具の一部のようになり、一日中テレビをつけている家庭も少なくない。赤ちゃんたちは、そうした環境の中で、生まれてすぐにテレビ画面との接触を余儀なくされている。

最近、子供がテレビを早い時期から見せられることによって、言葉が遅れたり、自閉傾向が出るなどの影響があったという報告を、複数の小児科医や乳幼児の研究者が行っている。テレビが赤ちゃんにどんな影響を及ぼすかという研究は始まったばかりで、まだ科学的な結論は出ていない。ただ、赤ちゃんはかなり早い時期からテレビをじっと見ているらしい。

東京大学大学院の多賀厳太郎講師(発達脳科学)と東京女子医大の小西行郎教授(乳児行動発達学)らの研究チームによると、赤ちゃんの視覚システムは生後一〜三カ月の間に飛躍的に変化するという。一カ月のときは、ただ漫然と見ているだけだったのが、二カ月になると、じっと見ている注視時間が長くなる。そして三カ月では、複数の物を見比べられるようになる。

「二カ月ごろの赤ちゃんだと、目を動かせない強制注視と考えられ、この時期にテレビを見せたら何時間でも見てしまうかもしれない」と、小西教授は警告する。

モニター画面上で赤ちゃんに見せた図形の組み合わせ

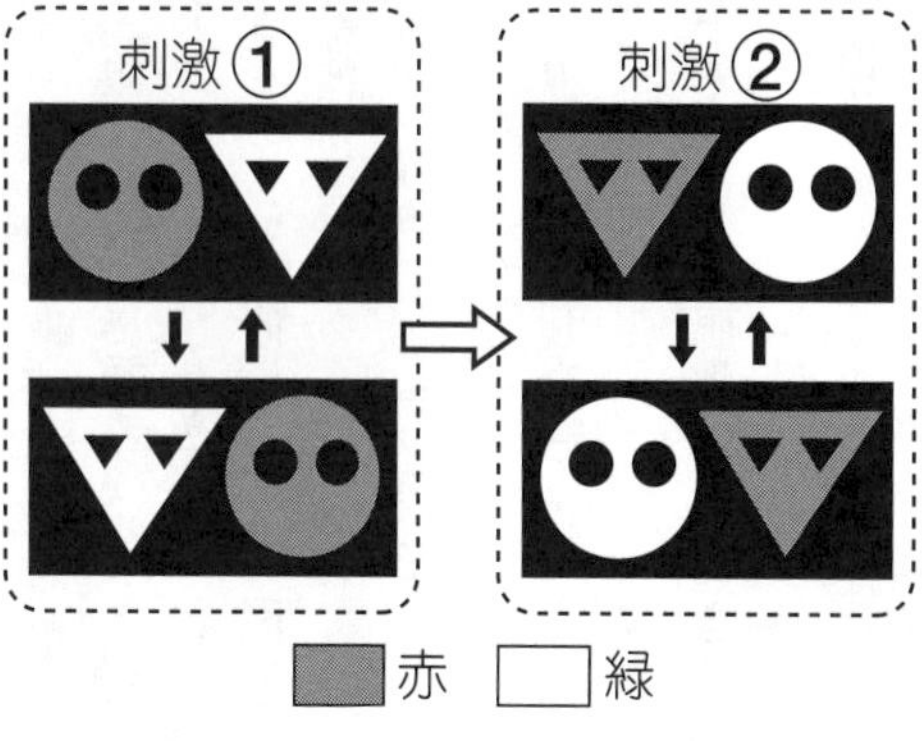

多賀厳太郎著『脳と身体の動的デザイン』（金子書房）から

多賀講師、小西教授らは実験で、テレビモニター画面で、赤ちゃんが二つ同時に示された物の形と色の組み合わせを識別できるかどうかを調べた＝前頁図表参照。

赤ちゃんが画面の図形（刺激①：赤色○、緑色▽）を注視し始めてから目をそらすまでを一回の試行とし、よそ見をしている間に、左右の図形の位置を入れ替えて、次の試行をする。こうした試行を繰り返し、ある程度慣れてきたところで、図形の色と形の組み合わせを変えた（刺激②：緑色○、赤色▽）。そして、この刺激の変化の前後の注視時間を観察した。

実験を踏まえ、眼球運動も細かく分析したところ、一カ月児は色と形の組み合わせを変えた図形（刺激変化）の全体を漫然と見て、飽きたら目をそらす。三カ月児は、急に視線を動かすサッカードと呼ばれる眼球運動が起き、左右の図形を何度も見比べるようになる。

ところが、この中間の二カ月の赤ちゃんは、一カ月児、三カ月児に比べ、目の前にある一つのターゲットを注視する時間がかなり長いことが分かった。小西教授は「視覚行動の成長過程の中で、二カ月児は刺激の一部に注意が向けられると、そこをじっと注視してしまう。この時期の赤ちゃんの脳の中で急激な変化が起きているのでしょう」と話す。

＊

この実験では、静止画像を使用しているが、実際のテレビ画面ではさまざまな動きがある。子供は視覚的に、動いている物を好む傾向があるという。親が赤ちゃんをあやすときも、口をパクパク動かした方が赤ちゃんは注目するし、ガラガラを使えば、喜んでそのガラガラを見つめる。

小西教授は「テレビの画面には動きがあり、子供は喜ぶと思います。ですから、注視する時間が長くなる二カ月のときに、テレビを見たら、じっと見続けてしまう。赤ちゃんの視覚行動は未熟だから、そうした傾向が、三カ月以降もさらに続く可能性はあります」と指摘する。

実際に赤ちゃんにテレビを見せて、その行動を観察したり、脳波、脳内の血流量などを測るといった研究は、今のところほとんどない。

小西教授は「赤ちゃんがテレビを見ているとき、脳がどんな動きをしているのかを調べていけば、テレビの及ぼす影響がかなり分かってくると思います。それは私たちの今後の課題でもあるし、放送局も真剣に考える時期ではないか」と訴える。

さらに、赤ちゃんとテレビに関する個人的な意見として、教授はこう付け加える。

「二、三カ月の赤ちゃんにテレビの内容が理解できるわけもない。親の都合で見せられているか、たまたまテレビがついているのを見ているに過ぎないのです。自分の意思でテレビを見たいと思うようになるまで、あえて接触させる必要はないのでは……」

いつから見ていたか……テレビ世代の親が、子供の長時間視聴をうながす

「表情が乏しい」「コミュニケーションがちぐはぐ」「体の動きがぎごちない」「視線が合わない」……。日立家庭教育研究所（横浜市）の主幹研究員、土谷みち子氏は一九九八年、赤ちゃんの早い段階からテレビ、ビデオを長時間視聴していた幼児について、こんな特徴がみられたと発表し、小児科医など関係者の間で注目を集めた。

土谷氏は「こうした乳幼児に関する研究は、これまでありませんでした。ニューメ

ディアがどんどん発達している今、赤ちゃんに早期からテレビ、ビデオに接触させている現状さえ、あまり知られていないことが心配だったのです」と話す。

遊びなどを通して子供たちの行動を研究している土谷氏によると、表情の乏しい子、コミュニケーションが苦手な子、動きのぎごちない子が、ここ十年で目立つようになってきたという。

不思議に思って、一九九五年から三年間、神奈川県内に住む未就園の三歳児百六十人を調べ、その中の行動や表情について気になった十人に対し、面接や観察を行ったところ、その多くが赤ちゃんの早い段階からテレビ、ビデオを長時間見ていた。

「この調査が、私の赤ちゃんとテレビ、ビデオに関する研究の出発点になりました」と土谷氏は話す。

＊

土谷氏は一九九九年から二〇〇〇年にかけ、神奈川県内で、赤ちゃんのテレビ画面視聴開始時期の調査を試みた。

対象となったのは、当時一～四歳の幼児百七十七人で、結果は、「生後六カ月以前から」が19・8％、「六カ月以降一歳未満」が28・2％と、一歳前の赤ちゃんの約半数がテレビを見ていたことが浮き彫りになった。一方で、「一歳六カ月以降」に見始めたのは15・3％にとどまった。

一方、同じころに、中学、高校生のテレビ画面視聴開始時期も調べたが、「一歳未満」は40・0％と、〝現代の赤ちゃん〟に比べやや少なめ程度だったものの、「一歳六カ月以降」は33・9％で、視聴開始時期がだいぶ遅かったことがうかがえた。

さらにテレビ画面視聴時間の長さと開始年齢の関係も調べた＝左頁グラフ参照。一～四歳の幼児（百七十七人）のうち五十八人（32・8％）が調査時に「一日四時間以上」もテレビ、ビデオを見ており、その視聴開始時期をみてみると、「〇～六カ月以下」が32・8％と最も多かった。早く見始めた子供ほど、長時間テレビ画面と接している傾向が浮かび上がった。

土谷氏の調査は神奈川県内という地域に限定されたものであるが、ここ十年で子供たちは赤ちゃんのかなり早い段階から、しかも長時間にわたってテレビ画面を見るようになったことがうかがえる。

そうした背景には、テレビ世代の両親の事情もあるという。

＊

乳幼児のテレビ画面視聴時間と開始年齢（1〜4歳177人）

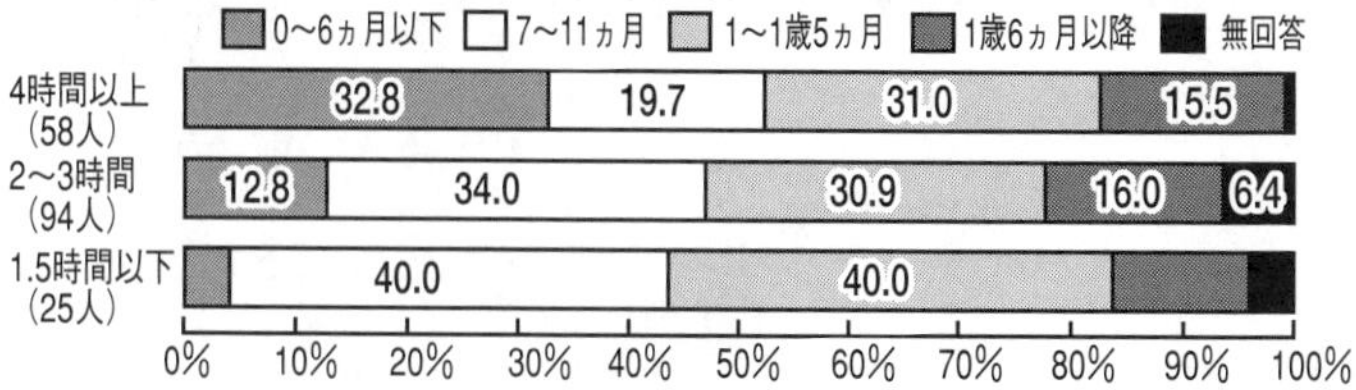

（土谷みち子氏作成）

テレビを1日4時間以上見ている幼児について、さらに調べると、32.8%の子供たちは、生後0〜6カ月の早い時期からテレビを見ていたことが分かった。

調査結果を踏まえ、土谷氏は「いま子育てをしている親たちの多くは、自身が子供のころからすでに当たり前のようにテレビがありました。帰宅するとテレビのスイッチを入れてしまう世代です。当たり前のように、テレビに〝子守り〟をさせて、ビデオに〝教育機能〟を求めているのでは……」と指摘する。

早い段階の赤ちゃんは、決して自発的にテレビやビデオを見ることはない。親たちが、見てしまう環境をつくっているのである。

土谷氏が、生後六カ月以前からテレビ、ビデオを見ていた子供の家庭を面接したところ、「生後すぐにテレビを見ている兄弟の隣に寝かせた」「授乳時いつも一緒にテレビを見ていた」「二カ月からいすに固定して座らせてテレビの前に置き、母親は家事をしていた」「英語や文字のビデオ教材を一定時間見せていた」――などの回答が寄せられたという。

果たして、親のこうした〝環境づくり〟が赤ちゃんに悪影響を及ぼさないのだろうか。

一日の視聴時間……一人で長時間見続ける習慣はやめるべき

土谷みち子氏は「特にビデオ機器の普及によって、拍車がかかったと思います。ビデオはテレビよりも、赤ちゃんが繰り返し視聴しやすく、『子守り機能』『教育機能』への親たちの期待も高まるのでしょう」と語る。

赤ちゃんがじっとテレビを見ている様子に、「うちの子も集中力がついた」とか「ニコニコ笑っているので、内容が理解ができたのでは」と、喜ぶ親も多い。しかし土谷氏は、これまで積み重ねてきた子供たちの観察から、そこに落とし穴があると指摘する。

「一人でいつもビデオを操作する子などは、他の人とのコミュニケーションが苦手になっていることがあります。また、ビデオを巻き戻して繰り返し同じ物を何度も見ることは、かえって子供の注意力を落とし、物事を集中して見る力をそぐ可能性もあります。おとなしく画面を見ていることは、決して集中力がついたわけではないのです」

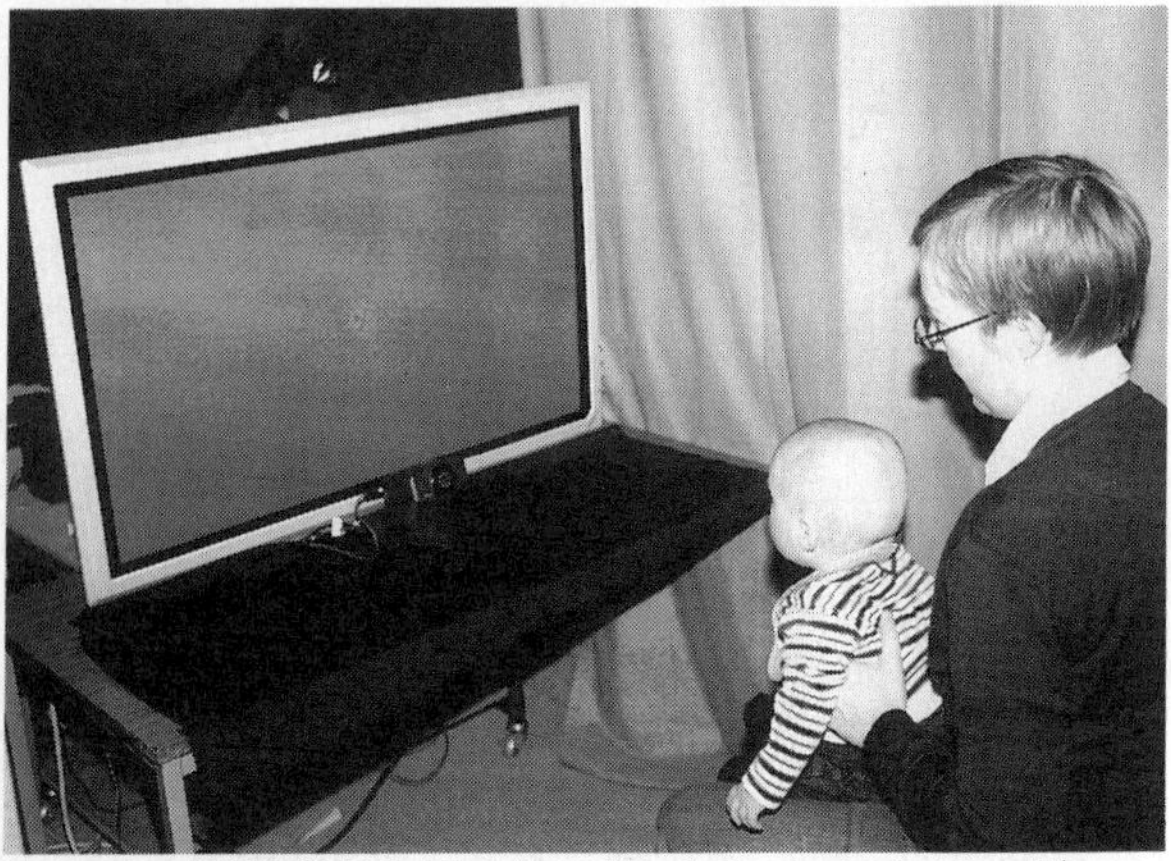

赤ちゃんの視覚機能を調べる。（ロンドン大バークベックカレッジ）

＊

赤ちゃんとテレビ、ビデオの関係をめぐり、土谷氏が観察・保育を続けた特徴的な事例を紹介しよう。

神奈川県内に住む二歳六カ月のA男ちゃんは表情が乏しく、感情の表出がほとんどみられなかった。父親は帰宅が遅く、母親は慣れない育児を二十四時間一人ですることに疲れていたらしい。生後四カ月ごろから、テレビの前にA男ちゃんを一人で置き、ビデオを長時間見せていた。親からみて、A男ちゃんはおとなしく集中しているように思えたという。

土谷氏は、まず、A男ちゃんと第三者の大人との関係形成を試みた。一緒に、お湯、水、粉、スポンジなどを触って、「いい気持ちだね」と感情言語を投げかけ、心身の「開放」を狙《ねら》った。少しずつ表情が出てきたのち、さらに、親も巻き込んだ「やりとり遊び」を導入すると、「ちょうだい」―「いいよ」▽「あげる」―「ありがとう」のやりとりが成立し、次第に言葉のコミュニケーションもスムーズになっていったという。

土谷氏は「だれからも働きかけがなく、一人で長時間テレビ画面を見ることが問題です。だれかと一緒に見れば、子供への影響もかなり変わってくると思います。それに、最近の乳幼児はテレビの影響もあり、外で遊ぶ時間も減っています。たまには、テレビ画面を見るのと同じぐらいの時間、赤ちゃんを外に連れて行ったらどうでしょうか」と呼びかけている。

＊

今の時代、赤ちゃんにとっても、メディアとの接触は避けられない。しかし、悪影響を及ぼさないようなテレビ、ビデオとの付き合い方があるはずだ。それは、親たちが真剣に実践していかなければならない。

土谷氏はガイドラインとして、次の六項目を挙げている。

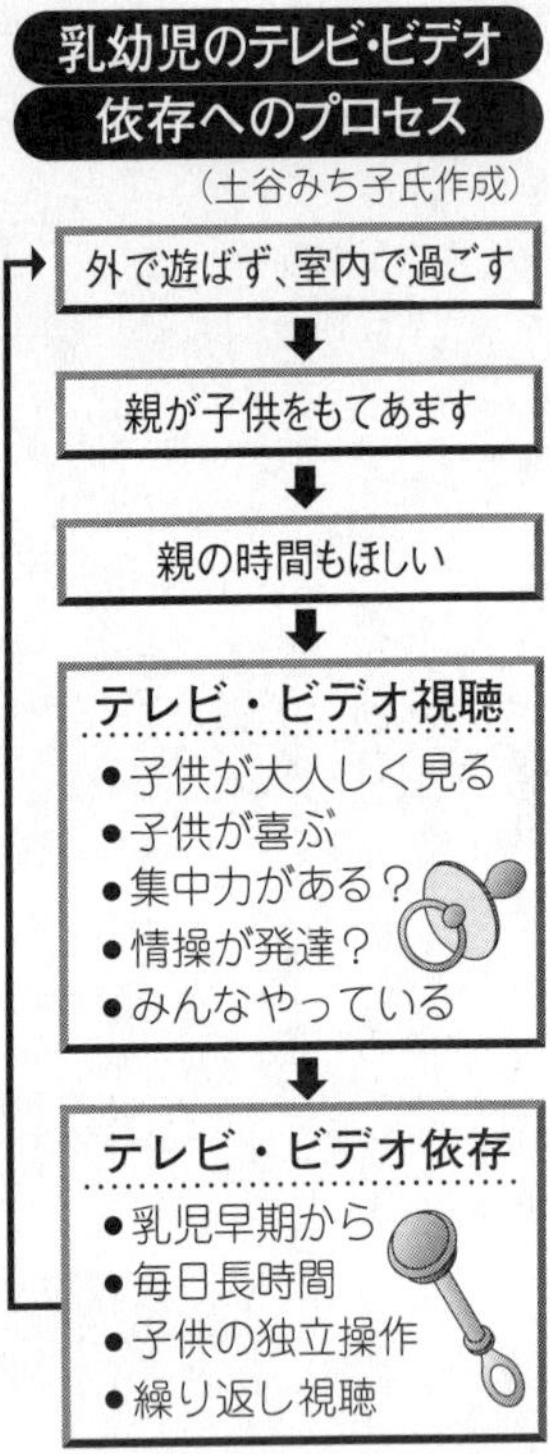

①乳児期（一歳）以降に視聴を始める　②一回に三十分。見終えたらスイッチを消す　③巻き戻して見ない　④ときどきは、だれかと一緒に見る　⑤見た時間と同じか、それ以上、外遊びや散歩をする　⑥テレビ画面を見ながら寝ない

そして「今、長時間視聴の習慣がある家庭は、テレビにカバーをつけるなどの工夫をするのもいい」と提案する。

土谷氏の研究は子供たちの行動や表情を観察しながら検証していく方法だが、今後はもっと科学的なアプローチが必要と訴える。

「メディア制作者も含め、脳科学の研究者らも集まって、学際的な研究チームを作り、子供の成長時期による影響の違いを真剣に考えなければいけませんね」

ビデオは役立つのか……知育の基本は、まず親自身が行動で愛情を示すこと

画面にはカラフルな輪投げのおもちゃ。聞こえてくるのは「ラス、ドゥヴァ、トゥリー……」（ロシア語で「一、二、三……」の意味）。熊《くま》のおもちゃが現れ、中国語で「はーい、赤ちゃん」。回転木馬の映像の時にはフランス語、こまのおもちゃの時にはスペイン語が聞こえてくる。

兵庫県西宮市。一歳前後の子供とお母さん三組に集まってもらい、一本のビデオを見てもらった。画面と音声に関連がないように感じるためか、お母さんたちは「今、何て言ってるの」「よくわからないね」とつまらなそうな様子。

だが、智詩くん（一歳二カ月）は、ママのひざから飛び出して不思議そうに画面に注目。夢果ちゃん（十一カ月）は高い音や変わった音が聞こえてくるたびに、ハッと振り返る。九カ月の夏央ちゃんはちらっ、ちらっと様子をうかがう。十分ほどで三人

とも飽きてしまったが、大人よりは長続きした。

このビデオのタイトルは「ベイビー・アインシュタイン」。〇歳から二歳を対象にした知能開発ビデオだ。パンフレットには「赤ちゃんは日本語や英語など、すべての言葉がもつ音を自然に聞き分ける能力を持っている。幼児期にこの能力を刺激して、より外国語に強い頭脳の基礎作りを手助けする」などと書かれている。

元教師のアメリカ人女性が一九九六年に開発。テレビ番組で取り上げられたことがきっかけで急激に人気を集め、「ベイビー・モーツァルト」「ベイビー・シェイクスピア」など一連のシリーズは、これまでに全米で百万本が売れた。日本でも、二〇〇二年に約十二万本が売れている。

＊

ここ数年、小さな子供のいる家庭では、テレビに加え、ビデオも不可欠な存在となりつつある。テレビ番組を録画して見せるのはもちろん、「しまじろう」（ベネッセコーポレーション）のような生活学習ビデオや、ディズニーなどキャラクターものの英語ビデオも人気だ。

ちなみに夢果ちゃんは生後半年のころに「ベイビー・アインシュタイン」を見てい

たし、智詩くんは今、「しまじろう」が大のお気に入りだ。

「ベイビー・アインシュタイン」の日本での独占販売権をもつ「コムテック」（神戸市中央区）によると、日本で「ベイビー……」シリーズを見ている子供の平均年齢は一・八六歳。〇歳児もかなり多い。母親からは「とにかく子供が集中してよく見る」という声が寄せられている。

同社取締役の中尾信也さんは「テレビは親がコントロールすることは難しいが、ビデオなら親が見せたくないものなどを調整できる」と話す。

＊

こうしたビデオ教育を、専門家はどうみているのだろうか。

「自分の体験を追認する、という意味においては、時折であれば利用するのもいいかもしれません」と、神戸親和女子大学の寺見陽子教授（児童教育）は話す。さまざまな生活経験を積んだ段階で、「あ、これ、ボクも見た」と、自分の心の映像と結びつける。そこには一定の評価を下す。

「でも、赤ちゃん時代にビデオで育てるというのはどうでしょうか。大人の目にはいかに内容がよいものでも、赤ちゃんには一方的なものであることに変わりはありません。子供は人間とのやりとりの中で育ちます。ビデオは赤ちゃんに個別に反応してはくれないのです」と寺見教授は注意を促す。

＊

「できるだけ、ママやパパも一緒にビデオを鑑賞してください」

「ベイビー……」の取り扱い説明書にはこう書かれている。中尾さんは「ビデオの趣旨もあくまで、母と子のコミュニケーションを重視し、それに役立てるということ」と力説する。

同社の母親モニター調査では、妊娠中または出産直後には「子供は絵本で育てる」と決めていた人がほとんどだったが、子育てが始まると、多くが「ビデオを見せた」と回答した。

「そういう現実の中で、ビデオはよくないと言ってしまえば、お母さんたちにとって大きなプレッシャーになってしまいます」と中尾さんは話す。

「知育の基本は親の愛情です。このビデオで外国語がしゃべれるといった効果効能を言うよりも、人間が作り出した言語や音楽、芸術など、すばらしいものを与えたい、ということが制作側の希望です」と説明している。

コミュニケーション障害……長時間の視聴は言葉おくれの原因になることも

育児の現場に急速に普及している、乳幼児向けのビデオ。制作者側は「母と子のコミュニケーションの手段」と強調するが、現実には「子守り」代わりに使われ、一日に一人で何時間もビデオを見る子供もいる。その結果皮肉にも、家族や友人とのコミュニケーションに障害をきたしてしまうこともある。

川崎医科大学（岡山県倉敷市）の片岡直樹教授は、そういったケースを数多く診察してきた。

二歳二カ月の女の子の場合。言葉をほとんど話すことができず、母親と視線を合わせられなかった。知的障害があるのでは、と心配した母親が片岡教授の元を訪れた。診察したところ、やはり視線が合わず、表情も乏しく言葉も出ない。

だが、運動障害は見られず、片岡教授と母親が話をしている間も、おとなしく座っていた。おもちゃで遊ばせてみると、一人で楽しそうに遊ぶが、意味不明の独り言を小声でしゃべり続けていた。

母親は「とにかく手のかからない子でした」と話した。ミルクもよく飲むし、よく眠った。二歳上の姉が母親を独占するため、手のかからない妹には、生後半年ごろからテレビやビデオをみせていた、という。

片岡教授はまず一切のテレビ、ビデオの視聴を禁止した。できるだけ、親子が同じ目の高さで話し、遊ぶよう指導した。現在小学生になった女児は、まったく問題なく育っているという。

片岡教授は、年間に二百人ほどの子供を新規に診ている。この女児のように、運動能力や知能に問題はないにもかかわらず、言葉を話さず、コミュニケーションのとりにくい子供を「新しいタイプの言葉おくれの子供たち」と呼んでいる。そして、その背景には、テレビやビデオの長時間視聴が関係していると考えている。

「テレビやビデオが即悪い、と言っているわけではありません。長時間見ることで、親子のコミュニケーションを図れなくなることが問題なのです」と片岡教授は話す。

母親の語りかけが子供の発達に大きな影響を与える時期に、逆にテレビやビデオ漬けにすることはあまりに危険、と警鐘を鳴らすのだ。

＊

こんなケースもある。

片岡教授の元を訪れた、三歳の男の子。生まれてすぐから、テレビはつけっぱなしだった。早期教育に熱心な家庭で育ち、生後半年過ぎから毎日、教育ビデオや英語のビデオを二～三時間見ていた。一歳をすぎて「マンマ」「チョーダイ」などと言い出したが、まもなく声を発しなくなり、言葉も消えた。二歳十カ月で片岡教授の診察を受け、テレビやビデオを一切やめた。まもなく声はよく出るようになったが、意味の不明瞭《ふめいりよう》な独り言だった。

片岡教授は「子供がテレビやビデオをじっと見ていると、親は集中していると思いがち。でも、それは間違いです」と話す。

実際には、次から次に発せられる刺激にはまっているだけ。だから、テレビやビデオを消すと、泣き叫んだり暴れることもある。内容が学習的で優れていたとしても、片岡教授は否定的だ。

「分別のつかないうちに学習ビデオなどを見せると、子供ははまり込むし、親もわが子を天才だと勘違いしたりする。見るのは五歳か六歳になってからで遅くはないし、の時も、視聴時間の何倍も外で遊ぶといい」と言う。

＊

アメリカ小児科学会は一九九九年、「小児科医は親に対して、二歳以下の子供にテレビを見せないよう勧めるべき」という勧告を出した。乳幼児の脳の成長や、社会的、情緒的、認知的な能力の発達には、両親や保育士などとの直接的な相互作用が非常に大切、という観点を重視するからだ。さらに小児科の待合室などにもテレビやビデオを置かないように、との勧告も出している。

日本小児科学会でも「子どもの生活環境改善委員会」が中心となって、テレビやテレビゲームの弊害について研究中だ。

担当理事の清野佳紀《せいのよしのり》・岡山大学医学部教授は「赤ちゃんの場合、テレビやビデオは内容の問題というより、一方通行の画面を受け身で何時間も見ることが問題なのです」と話す。

同会がまとめる提言の内容も、アメリカ小児科学会と同じような方向となりそうだという（同会は二〇〇四年に、「二歳以下の子供にテレビ・ビデオを長時間見せないように」という緊急提言を行った）。

乳幼児向け番組……一方通行を避けて、子供の「目線」に配慮したい

二〇〇二年五月五日、こどもの日。東京・渋谷にあるNHKのスタジオでは、幼児番組「いないいないばあっ！」の収録が行われていた。

「ちびっこマンたいそうが、はじまるよ。おいでおいでー」

お姉さん役、りなちゃんの元気な声に、子供たちも動き出す。といっても、出演者は一歳、二歳。体操する子もいれば犬のキャラクター「ワンワン」に抱きつく子、突然動きが止まったり、「ママー」とカメラの前から消えてしまう子供も。カメラの後ろで、わが子に手本を示すお母さん、お父さんの方が、一生懸命体操をしている。

収録時間はわずか五分。もちろんリハーサルもない。

「何せ、小さな子供が出演者ですから、子供に合わせています」とチーフ・ディレクターの小山攻氏は話す。子供たちの自然な姿をカメラに収めるようにしているという。

「いないいないばあっ！」は、一九九六年から始まった、二歳以下の乳幼児を対象に

した番組。四十年以上続く幼児番組の老舗《しにせ》「おかあさんといっしょ」を制作していたチームから生まれた。

「おかあさんといっしょ」は二歳、三歳の子供を対象にしており、それ以下の子供向けの番組は当時なかった。「いまや環境の一部としてテレビが存在している時代。一歳前後の子供もテレビを見ます。それなら〇歳、一歳向けの番組がないのはおかしい、ということになったのです」と小山氏は話す。

番組は十五分。「おかあさんといっしょ」の半分だ。内容も体操や歌、ゆびあそび、外遊びと、とてもシンプル。ひとつのコーナーは三十秒から三分ぐらいまでに短くまとめられている。

乳幼児向けならではの配慮は随所にみられる。例えば、カメラの切り替えは極力避け、長いカットを続ける。

小山氏は「切り替えに子供がついていけるかどうか。大人の全身をうつした後、急に顔のアップになった場合、両者が同一人物と分かるとはかぎらないのです」と話す。

できるだけテレビから子供への一方通行にならないようにも注意を払う。キャラクターがテレビの前の子供たちに話しかけたら、ポーズを置く。子供が反応する時間を作るためだ。番組作りは、赤ちゃんの目線に立つことが大切。それゆえ

「永遠に、試行錯誤が続くでしょうね」と小山氏は言う。

たとえどんなによい番組を作ったとしても、お母さんやお父さんが抱きしめることにはかなわない、という。

「かなうわけがないんです。それをわきまえていないと、とんでもない思い上がりをしてしまう」と、小山氏は語気を強める。お母さんたちからは「番組の間、家事ができるのでありがたい」という声も寄せられている。

「現実にはそうなのかもしれません。でも、テレビに子守りはさせてほしくない。親子で見てもらいたいのです。番組は、親子のコミュニケーションづくりのきっかけになってほしいですね」

＊

生まれてすぐの赤ちゃん時代から、テレビのある生活を送る現代の子供たち。ではテレビはどんな影響を与えているのか。子供たちにとってよい番組とは何なのか。そんな根本的で重要な課題に取り組もう、とテレビ局も動きだした。

NHKは二〇〇二年、国内の研究者とともに「〝子どもに良い放送〟プロジェクト」をスタートさせた。映像メディアと子供の発達の関係について科学的に解明するのがねらい。同年秋から、〇～十二歳の子供計千四百人を対象に、フォローアップ調査を実施。視聴時間や視聴番組などメディアへの接触行動、また視聴環境、家庭環境なども調べている。

「これだけ本格的な調査は日本で初めて」と担当のNHK放送文化研究所では説明する。研究から得た成果を、番組作りに生かすという。

赤ちゃんに対してテレビはどうあるべきなのか。制作現場での試行錯誤と同時に、科学的な解明が始まる。親たちがもっとも気になる答えは、数年後、明らかになるだろう。

脳の発達への影響……良質な番組でも三歳以降に見させたほうがよい

脳科学の立場から考えた場合、テレビ、ビデオは赤ちゃんにどんな影響を及ぼす可能性があるのか。

『幼児教育と脳』(文春新書)などの著書がある澤口俊之《さわぐちとしゆき》・北海道大学医学部教授(脳

科学）は「赤ちゃんにとってテレビは百害あって一利なし。三歳以降であれば一利はあるかもしれない」と話す。

最近の脳研究では、人間の脳の中で脳幹がもっとも初期の段階から、つまり生後まもなくから発達していくことがわかってきた。この脳幹の一部、中脳で作られる脳内調節物質系のモノアミン系（ドーパミンなど）が、人間の知性の中心である大脳皮質など広範な脳領域に影響を及ぼし、思考など人間の知的・感情的な行動を左右する大切な役割を担《にな》っているという。

澤口教授は「大脳皮質の働きのオイルとなる脳幹をきちんと発達させるような環境をつくってやることが大切です。モノアミン系の異常は思考力が落ちるだけでなく、精神疾患になる可能性も高いのです。暴力など虐待《ぎゃくたい》はもってのほか。また、テレビの見過ぎはＡＤＨＤ（注意欠陥多動性障害）になりやすいというデータもあります」と話す。

脳幹を健全に発達させるには、抱いたり、語りかけたりという原始的な皮膚感覚が大切なのだという。澤口教授は「特に赤ちゃんの時期は、こうした働きかけが必要です。テレビに子守りをさせたら、親子間のふれあいがもてません」と警告している。

赤ちゃんが教育ビデオを使って言葉を学習することについて、京都大学霊長類研究所の正高信男助教授は「言葉の学習は、面倒くさがらず、親がそばにいて、きちんと相手をしてあげないと効果がありません。直接の語りかけが大切です」と話している。

また前述のように、東京大学大学院の多賀厳太郎講師や東京女子医大の小西行郎教授らの研究から、注視する時間が長くなる生後二カ月ごろ、赤ちゃんはテレビをじっと見続けてしまうことが分かってきた。視覚行動が未熟だから、そうした傾向がさらに続く可能性もある。集中力がついたのではなく、目が離せないのだ。

こうしてみると、赤ちゃんにとって、テレビは「百害あって一利なし」というのもうなずける。

＊

澤口教授は「今の時代、テレビとの接触は避けられません。しかし、赤ちゃんが一人で見るのは危ない。親と一緒に見て、テレビ番組やビデオを題材にした語りかけができ、皮膚感覚のふれあいがもてるのであれば、絶対だめとも言えないでしょう」と話す。

そんなテレビも、内容を理解できるようになる三歳以降は、一利はあるかもしれないという。

＊

大脳皮質の中でも特に前頭葉が人間の知的活動において大きな役割を担う。前頭葉の働きのうち、「将来を見据えて行動する」未来指向性が大切だといわれる。霊長類の中でも未来指向性を備えているのは、人間だけ。優秀なチンパンジーでさえ、二時間先しか見えていない。翌日の食べ物を蓄えておくことなどは絶対にないらしい。

澤口教授は「人間は将来のため、未来のため、努力をして目標にたどりつくもの。子供の時期に、この未来指向性を健全に育てることが必要です。大人になってからでは難しい。そういう意味で、昔の『巨人の星』などスポーツ根性物は良かったですね。主人公が夢を追いかけている姿を、子供に見せることで、未来指向性を育《はぐく》むことが可能になっていました」と訴える。

さらに、困難に巻き込まれたときに使う問題解決能力を育てるためのテレビ番組は、見ても害はないという。

「謎解《なぞと》きのミステリーアニメなどは、ひょっとしたら良いかもしれない。また、テレビゲームもシューティングゲームは好ましくないが、頭を使う難しいゲームは問題解決能力を伸ばすと思われます」

最後に澤口教授は「テレビは良い、絶対だめというのは極論。たまには良質なものもあります。また、成長段階によって接し方も違ってきます。今後、脳科学からの研究も進んでいくと思います。十年もしたら、赤ちゃんとテレビの関係はかなり分かってくるでしょう」とまとめた。

（担当・篠田丈晴、岸本佳子）

第四部　母乳

国立岡山病院の挑戦……助産婦も驚いた「ミルク中止」宣言

赤ちゃんを母乳だけで育てる。哺乳《ほにゅう》動物ならごく当たり前のことが、現代社会ではとても難しい。戦後、出産場所が自宅から病院へ変わったこと、連合国軍総司令部（GHQ）の方針で感染症対策として母子異室になったこと、ミルク栄養学の普及で人工乳（粉ミルク）育児が浸透したこと——など、さまざまな理由が考えられる。

しかし最近になって、栄養面だけでなく親子のふれあいからも、母乳育児が少しずつ広がりをみせている。

厚生労働省の乳幼児身体発育調査（十年に一度）では、生後一カ月時に母乳を与えている母親は一九六〇年の70・5％から一九七〇年には31・7％に激減。一九八〇年が45・7％、一九九〇年が44・1％、二〇〇〇年が44・8％とほぼ横ばい。

しかし、医療関係者の多くは「調査の基準があいまいで、『完全に母乳だけ』に厳格化すると、30％程度に低下する」と指摘する。

一方、一九九六年の国立津病院（現・三重中央医療センター）の出産前の母乳育児意識調査では「母乳だけで育てたい」が63・3％、「できれば母乳で、大変ならミルクで」が26・7％。その他の調査でも結果はほぼ同じだ。

母親の希望と実態との乖離《かいり》や、少子化で子育てへの関心が高まっていることなどから、母乳育児に積極的な医療機関も増えている。その先駆けが〝おっぱい博士〟と親しまれた国立岡山病院（現・岡山医療センター）の故・山内逸郎《やまのうちいつろう》名誉院長の取り組みだ。

＊

「きょうからミルクを与えることを中止する」

一九七〇年十月二十五日、当時、小児科医長だった山内逸郎医師の突然の宣言に、助産婦らは驚いた。当時の母乳率はすでに約30％。ミルクで育てるのが普通という時代だったのだから反発も大きかった。

現・小児科医長の山内芳忠《よしただ》医師は「助産婦らとの葛藤《かっとう》もありました。最後は山内逸郎先生の『何があっても母乳で赤ちゃんを育てる』との信念で実施されたのです」と振り返る。

病院からミルクが消えた日、助産婦らは眠れぬ夜を過ごした。

しかし結局、その夜は何のトラブルもなかったという。その後、同病院は改革を進め、一九七七年には「もらい乳」も廃止するなど、徹底的に母乳にこだわった。

山内芳忠医師は、母乳育児を行ううえで、出産後三十分以内の授乳と頻回授乳の重要性を強調する。

「赤ちゃんは生まれてしばらくすると深い眠りに入ります。その前に乳首を吸わせてお母さんのおっぱいを記憶させると、その後の授乳がスムーズになるのです。お母さんの方も二十四時間以内に七回以上授乳することで母性にスイッチが入り、自然に母乳の出が良くなるのです」

だが、頻回授乳を行うには課題があった。それまで普通に行われていた母子異室では、赤ちゃんが母乳を飲みたいときに母親がいない、母親の母乳分泌《ぶんぴつ》が盛んなときに赤ちゃんがいないというケースが多い。これを解消するには母子同室にしなければならない。

一九八四年、山内逸郎医師は、それまで国内ではほとんど例がない、産後四日目からの母子同室を決めた。

難波千枝子副看護師長は「当初は『赤ちゃんが窒息する』『お母さんが疲れる』『仕事が増える』など反対意見もありました。でも始めてみると、不思議なことに赤ちゃんがほとんど泣かないのです。顔のひっかき傷も消えました。仕事は増えましたが、お母さんと赤ちゃんがいとおしそうにスキンシップしているのを見て、『これならできる』と確信しました」という。

産後四日目からだった母子同室は、やがて三日目からになり、一九八五年からは産後すぐの完全母子同室を実施している。

＊

国立岡山病院で完全母子同室が導入されて十七年。国内に約四千五百ある病院・産院で、生後二十四時間以内に母子同室にする施設は二〇〇二年現在で、まだ百程度という（「日本母乳の会」調べ）。多くの病院では、赤ちゃんは生まれてすぐ新生児室に入れられ、寝ていても時間で授乳させられる。

山内芳忠医師は「生まれたばかりの赤ちゃんが泣くのは元気だからではありません。お産がお母さんにとって大変なのと同じで、赤ちゃんも産道を通ってきた恐怖や不安、痛みで泣くのです。だから、なるべく早くお母さんと〝再一体化〟させると、心身ともに安心するのです。呼吸や心拍も早く安定して泣きやみます。産後すぐのカンガルーケアや母乳を飲ませることは、栄養だけではなく、親子のきずなを確かめ合う大切な儀式なのです」と話している。

「乳房《にゅうぼう》センター」……〝赤ちゃんにやさしい病院〟の広がりに期待

赤ちゃんを母乳だけで育てたいと考える母親にとって、最大の心配事は「母乳が十分に出るか」ということだ。ミルクの撤廃、完全母子同室制など、徹底した母乳育児を進めた国立岡山病院の取り組みも、母乳が出ない母親が多ければ不可能だ。山内芳忠医師は「本当に母乳が出ない人は極めて少ない。百人か二百人に一人ぐらいでしょう」と話す。

だが、母乳育児をするうえで、自分の乳房に悩みを持つ女性は多い。同病院では一九八六年、「乳房センター」を開設。産婦人科と小児科などの専門スタッフと助産師がチームをつくり、乳腺炎《にゅうせんえん》の治療やマッサージ指導など退院後のフォロー態勢を整え、乳房に関する総合ケアを行っている。

週二回の相談室では、一人の母親に三十分から一時間もかけて助産師が対応する。

内容は、乳腺の詰まりや乳首の陥没など乳房に関するもののほか、心の悩みも多い。「他の子より泣く。おっぱいが足りないのでしょうか」という相談があった。話を聞くと、母親は自営業のため、あわただしく母乳を与えると、すぐに赤ちゃんから離れていた。助産師が「赤ちゃんはもっとお母さんに抱っこしてもらったり、遊んでほしくて泣いているんですよ」と答えると、母親は安心した顔で帰っていったという。

山内芳忠医師は「何でも自然に話せる雰囲気づくりが大切なのです。相談はおっぱいの出方や乳房に関することがきっかけでも、話は夫婦仲やお姑《しゅうとめ》さんとの関係になることもあります。そういうことを本音で話すうちに、心の中の不安が解消されていきます。乳房ケアとはいっていますが、母親の心のケアと支援が一番大切なのです」と話す。

国立岡山病院で始まった乳房ケアは現在、多くの病院や産院が取り入れている。だが、まだマッサージや乳腺の詰まりの解消などの治療行為が主体だ。今後は心のケアへと広がることが期待されており、二十一世紀の助産師の大きな役割となるだろう。

*

国立岡山病院は一九九一年、世界保健機関（ＷＨＯ）と国連児童基金（ユニセフ）

による「赤ちゃんにやさしい病院（ＢＦＨ＝Baby Friendly Hospital）」に先進国で初めて認定された。

ＢＦＨの認定制度は第二次大戦後、世界中に人工乳（粉ミルク）が広がったことがきっかけだ。アジアやアフリカの途上国では衛生状態が悪く、清潔な水の確保が難しい。このため多くの赤ちゃんの命が失われた。

危機感を持ったＷＨＯとユニセフは、途上国で子供を育てるには母乳育児の必要があるとして、一九八九年、「母乳育児を成功させるための10カ条」の声明を発表した。

◇ユニセフ、ＷＨＯの母乳育児を成功させるための10カ条（要約）

（1）母乳育児推進の方針を文書にし関係職員が確認できるように
（2）方針を実行するため必要な知識と技術をすべての職員に教える
（3）すべての妊婦に母乳で育てる利点と知識を教える
（4）母親を助け、分娩《ぶんべん》後30分以内に母乳を与えるようにする
（5）母乳の飲ませ方を母親に指導する
（6）医学的に必要でない限り、新生児に母乳以外を与えない
（7）終日、母子同室を実施する

（8）赤ちゃんがほしがるときはいつでも母乳を飲ませる

（9）母乳育児の赤ちゃんにゴムの乳首やおしゃぶりを与えない

（10）支援グループをつくり、母親に紹介する

だが、声明だけでは母乳育児は進まない。ユニセフは一九九一年に10カ条を実践する施設をＢＦＨに認定する運動を始めた。これにより、ＢＦＨは世界中に広がり、二〇〇一年末には約一万五千施設に増えた。

「赤ちゃんにやさしい病院」の認定証。

一方、国内では一九九一年に国立岡山病院が第一号となって以来、二〇〇二年現在でまだ二十五施設。なぜ、国内でＢＦＨは増えないのか。

ユニセフから国内のＢＦＨ認定を委嘱されているＮＧＯ「日本母乳の会」事務局の永山美千子氏は

「10カ条の中でキーポイントとなるのが出産直後の母子同室です。ところが、産婦人科は医療事故が一番多いため、赤ちゃんが激変する生後一、二日目をしっかり管理したいというのが医師の基本的な考えなのです」と説明する。

また、多くの産院が乳業メーカーから調乳指導や研究費の援助など、何らかの支援を受けており、そのメーカーのミルクを使うことを事実上、義務づけられていると指摘する。

永山氏は「少子化で小さな産院は患者が減っているため、認定を受けてBFHを〝売り〟にしたくても、長年の（乳業メーカーとの）関係まで断ち切るのは難しく、苦悩する院長も多いようです」と話す。

一方、大病院では、大勢の医療スタッフ全員が意思統一することは難しく、さらに新しい考えやシステムを導入することへの抵抗感も根強いという。

そんな中、二〇〇一年、東京都渋谷区の日赤医療センターがBFHの認定を受けたことが、関係者を大きく勇気づけている。日赤は全国に九十二病院を持ち、地域医療の中核施設となっている。すでにこのうちいくつかの病院でBFHを目指す動きが本格化しており、全国的な広がりが期待されている。

おむつをつけただけの赤ちゃんが、ブラウスの前をはだけたお母さんの胸に抱かれている。まるでカンガルーの子育てのよう。そんな「カンガルーケア」を病院のNICU（新生児集中治療室）や分娩室で行うことが増えている。

カンガルーケア……素肌で温めながら親子の絆《きずな》を深めることが大切

カンガルーケアは、一九七九年、低出生体重児（生まれたときの体重が二千五百グラム未満）へのケアとして南米・コロンビアのボゴタで始まった。

医療機器不足で保育器の代わりに、赤ちゃんを母親や家族の胸の上に乗せ、素肌で温めることが目的だった。お金がかからず感染症対策にもなるため、WHOが注目。「愛とぬくもりと母乳を」をスローガンに、中南米やアフリカの途上国へ広まった。

先進国でも近年、親子の〝絆〟を深めるため、カンガルーケアを取り入れる施設が増えている。日本では一九九五年、聖マリアンナ医科大学横浜市西部病院周産期センター長の堀内勁《たけし》教授が低出生体重児のケアとして本格的に導入した。

同病院では、ある程度まで成長した低出生体重児の母親に、このケアをするかどうかを選択させる。肌と肌を合わせ、じっとしているさまはとても静かだ。だが、母子の間では深い感情のキャッチボールが続いている。

堀内教授は「ケアを受けた赤ちゃんは子宮に戻ったような感覚になり、体温や呼吸も安定します。早産で小さい赤ちゃんを産んだ母親は自分を責めがちですが、〝失敗〟した妊娠経験を取り戻すことができるので、心の傷も癒《い》やせるのです」と話す。

現在は〝パパカンガルー〟も行われ、父子間、夫婦間の愛情を深めるのにも役立っている。

最近は、出産直後にカンガルーケアを行う施設も増えている。母乳の出を良くする効果もあるのだという。

堀内教授は「妊婦は出産して胎盤がはがれた瞬間、母乳を出すプロラクチンというホルモンが上昇します。このとき赤ちゃんが乳房を吸うと、さらに母乳が出やすくなります。ほかにも、『これがお母さんのおっぱい』『これが私の赤ちゃん』と母子が互いに〝刷り込み〟をする効果もあり、その後の母乳育児に役立つのです」と話す。

＊

近ごろ、カンガルーケアの効果で最も注目されているのは親子関係の観点だ。

日本は周産期（出産前後の時期）医療の発達で新生児死亡率は世界で最も低い。だが、その半面、出産後しばらくは医師や助産師が赤ちゃんの面倒をみるため、母親の〝出番〟は少ない。

ＮＩＣＵに隔離される低出生体重児の場合は、なおさらだ。誕生した命を喜びながらも、育児に不安を抱いたり、退院時に子供によそよそしさを感じ、愛情を持てない母親もいる。

だからこそ、生後間もないカンガルーケアが重要なのだろう。

新生児のカンガルーケアは、医療関係者が見ても、とても感動的だという。

カンガルーケアでは生まれてすぐの赤ちゃんを、裸のままの母親の胸に乗せる。まだ、目も開かない赤ちゃんは二十〜三十分で動きが活発になり、五十分ぐらいで乳首を探し当てて吸い始める。母親は、小さくてひ弱なわが子が自分の乳房を吸う力強さに感激する。

男児を出産したばかりの横浜市の女性は、「赤ちゃんの体はとても温かかった。最初じっとしていたのが動き出し、乳首を吸ったとき、『私の赤ちゃん、私の赤ちゃん』と、何度も心の中で叫び、涙があふれてきました。『この温かさをずっと感じていたい』『離れたくない』と心の底から思いました。私の人生で一番感激したできごとです」と話す。

堀内教授によると、出産直後の母親は、サッカー選手がゴールを決めたときのような強い覚醒《かくせい》作用があるという。そこに自分の乳房を吸われたという特殊な感覚やホルモンの変化などで、母性にスイッチが入る。赤ちゃんも出産による強いストレスホルモンで、脳がはっきりしていて目も覚めており、自発的な行動としておっぱいを吸うという。

生後間もない赤ちゃんがみせる、こうした不思議な行動は、診察や体重測定などのため、母親から一時間離したあと、再び母親の胸に乗せても起こらないという。母子にとってまさに一生に一度のチャンスだ。

堀内教授は「人間は、もともと母性を持っているわけではありません。状況とタイミングのなかで芽生えてくるのです。育児も親が一方的に子を育てるのでなく、子供の方も積極的に親から子育てさせる力を引き出している。大切なのはこの関係を育てていくことです。助産所なら当たり前に行われていたことが、戦後の病院出産で失われました。それをもう一度見つけたともいえるのでしょうね」と話している。

母乳分泌《ぶんぴつ》メカニズム……おっぱいを吸う行為には「意味」がある

母乳育児を勧める医師や助産師は「極めて例外的な人を除けば、すべての母親は母乳だけで赤ちゃんを育てることができる」と声をそろえる。しかし「でも、出ない人も……」と、医師の言葉にもかかわらず、半信半疑の母親も多い。

三十年以上にわたり母乳育児を推進し、WHOとユニセフの「赤ちゃんにやさしい病院」に認定されている岡村産婦人科医院（大阪府堺市）の岡村博行院長は「出産前後のお母さんと赤ちゃんの体がどうなっているかをよく知り、それに沿った授乳指導を受ければ、だれでも母乳だけで育てることができます」と言い切る。

では、なぜ女性は出産すると母乳が出るのか。

出産して胎盤がはがれたとき、赤ちゃんが母親の乳首を吸って刺激を与えると、その刺激が母親の脳下垂体に伝わり、プロラクチンとオキシトシンというホルモンが分泌される。プロラクチンは乳腺《にゅうせん》に働きかけ、母乳を作る働きがある。オキシトシンは子宮の収縮を促進し、乳腺組織を取り囲む組織を収縮させ、母乳を送り出す――というのが母乳が出る仕組みだ。

岡村院長は「母乳が出ない」との悩みを抱える母親に対し、〝おっぱい博士〟といわれる国立岡山病院の山内名誉院長が提唱した「母乳育児成功のための必要条件（山内3・5カ条）」の実践を奨励している。

◇母乳育児成功のための必要条件（山内3・5カ条）

1　早期授乳（生後30分以内の授乳）

2　頻回授乳（24時間以内の7回以上の授乳、初回は含めない）

3　母子同室（出産直後からの同室）

3.5　乳管開通（陣痛が起こったら乳輪から乳頭にかけてひねりをかけてしごく乳管開通操作を行う）

「母乳は必ず出る」とはいっても、本格的に分泌されるには出産から二～三日程度かかる。母体は出産の疲れから回復し、急激なホルモン変化に適応するため、母乳を作る準備期間が必要なのだ。

この間、赤ちゃんはまるで火が付いたように泣き、母親の乳房に吸い付く。だが、ごく少量しか母乳は出ない。そこで母親は赤ちゃんが飢餓状態にあるかのように思い込み、人工乳を与えてしまう。これが母乳育児の最初の壁なのだという。

岡村院長は「お母さんが不安なのは分かりますが、実際には赤ちゃんは、おっぱいが十分に出るまで、自分自身の体の中に蓄えたもので生きていけるよう、三日分のお弁当と水筒を持って生まれてくるのです」と説明する。

さらに、母乳は二～三日は出ないが、実はこの期間がとても重要であると強調する。早期授乳を行わなければ、母乳育児は初めからつまずいてしまう可能性があるというのだ。

「生まれたばかりの赤ちゃんは、しばらく覚醒《かくせい》状態にあります。そのとき、生まれて初めて母親の乳房のにおいをかぎ、触れ、吸い、味わい、五感すべてで母親と母親のおっぱいをインプットするのです。ここがうまくいかないと、赤ちゃんはおっぱいを上手に吸うことができなくなってしまいます。栄養学的な面より、おっぱいを吸うという行為に大きな意味があります。〝母乳育児協奏曲〟のプレリュードとも呼べる大切なものなのです」

そのうえで頻回授乳を行うことが、十分な母乳を出すための最も重要なポイントだいという。

岡村院長は「最初は出なくて当たり前。とにかく何度も何度も赤ちゃんに吸わせないとプロラクチンは放出されず、母乳は分泌されない」と話す。

どうせ出ないからといって、赤ちゃんに乳首を吸わせないと、プロラクチンは子供を産んでいない女性と同じレベルまで低下してしまうというデータもある。逆に父親の乳首を赤ちゃんに吸わせ続けた場合、母乳のような液体が出ることも報告されている。

「母乳が出る出ないは、プロラクチンの分泌で決まります。母乳を出すため乳房マッサージを行っている施設もありますが、（母乳の流れを良くする）オキシトシンは分泌されても、（母乳そのものを作る）プロラクチンは分泌されません。マッサージは精神的なメリットはありますが、乳腺を傷《いた》めてしまう可能性もある。やはり頻回授乳をしなければ母乳は出ないのです」と岡村院長は力説する。

＊

さらに頻回授乳のためには、母子同室が不可欠だ。両者はコインの表裏のようなもので、切っても切れないほど関係が深い。

山内3・5カ条のうちの三つは、出産後に母親と赤ちゃんが二人で作り上げていくもの。

それ以前に母親が一人で準備できるものとしては乳管開通がある。岡村院長は「乳管の詰まりが原因なのに、母乳が出ないと思い込んでいる人が多い。『こんな簡単な操作で出るようになるのか』と驚く母親は多い」と話す。

最近は、手軽にできて効果が高いことや、出産へ向けての心構えにもなることから、妊娠後期（三十六〜三十七週）から取り入れる施設も増えている。

岡村院長は「頻回授乳や乳管開通など、できる限りの努力をして少しでも早く母乳を出すよう試みて下さい。戦国武将の性格にたとえるなら、『鳴かぬなら鳴かせてみようホトトギス』の豊臣秀吉型が、母乳育児ではもっとも大切なのです」と話している。

超低出生体重児……早期授乳すると、発育への利点も多くなる

周産期医療の発達で、かつて生命を保つことさえ難しかった超低出生体重児（生ま

れたときの体重が千グラム未満）も、後遺症がなく成長する割合が高まっている。

これまで、超低出生体重児への栄養供給は、静脈へのブドウ糖点滴が中心で、呼吸が安定して初めて母乳を与えていた。近年、超低出生体重児への早期の母乳授乳によって身体の発達や感染症予防にも役立つことが分かり、研究が進められている。

県立岐阜病院新生児センターでは、一九九六年から、超低出生体重児に対して出生後二十四時間以内に少量の母乳を与える超早期授乳を行っている。

市橋寛部長は「これまで早期に母乳を与えると、赤ちゃんが消化できずに腸全体が壊死《えし》する『新生児壊死性腸炎』が心配されていました。しかし、呼吸が安定してからでは赤ちゃんは母乳が進まないうえ、遅く与えても新生児壊死性腸炎は起きます。早期に与えた方が利点があるのです」と話す。

同センターが、超早期授乳を始めてからの六十六例（一九九六～九九年まで）と、開始以前の四十三例（一九九三～九五年）を比較すると、赤ちゃんの成長の区切りとなる授乳量が、体重一キロあたり一日百ミリリットルに達した日は、超早期授乳群では平均一七・九日だったのが、対照群では四四・九日かかった。

市橋部長は「胎児は胎内では羊水を飲み、腸管の蠕動《ぜんどう》運動で下部の消化管に送ります。この運動は出生直後にもあり、この時期に授乳を開始しないと蠕動運動は弱って

■ 身体の発育差

	超早期授乳群（55例）	対照群（31例）
在胎週数（週）	27.7	27.0
出生体重（グラム）	829	788
出生身長（センチ）	34.1	32.8
出生頭囲（センチ）	24.4	23.6
出生体重復帰日（日）	28.0	45.7
予定日体重（グラム）	1590	1300
体重増加率（グラム/日）	9.1	7.2
身長伸率（センチ/日）	0.084	0.075
頭囲増加率（センチ/日）	0.086	0.069

しまうのです。一定の母乳を投与することで腸の蠕動運動はより刺激され、活発になります」と説明する。

超早期授乳の開始で、早期に腸から栄養を取ることが可能になると、その後の身体的発育にも影響があるという。

具体的にどんな効果があるのか。

先の比較のなかで、死亡した赤ちゃんを除く超早期授乳群（五十五人）と対照群（三十一人）＝前頁表参照＝を比較したデータがある。

在胎週や出生体重、身長、頭囲の差は少ない。赤ちゃんは出生後一時的に体重が減るが、出生体重に戻った日は、超早期授乳群では平均二八・〇日に対し、対照群では四五・七日。出生予定日での体重比較では超早期授乳群が平均千五百九十グラムに対し、対照群は千三百グラムと大きな差があった。体重、身長、頭囲の増加率の比較では、超早期授乳群の方がいずれも高いが、中でも頭囲の増加率の差が重要だという。

市橋部長は「頭部が大きくなるということは、脳の発育がよいということ。体重の増加も大切だが、知能の発達に大きな効果があることは極めて大きな意味があります。今後は、三歳や六歳になったときの違いを確かめたい」と話す。

さらに入院日数も、超早期授乳群が平均百四十八日だったのに対し、対照群は百八十日。人工呼吸器を使った日数は超早期授乳群が平均四十二日、対照群が五十九日と大きな差があった。

＊

超低出生体重児を産んだ場合、二十四時間以内に母乳を与えることは困難だ。母乳が十分に出るまでは、いわゆる〝もらい乳〟が必要になる。これによる危険はないのか。

同センターでは肝炎やＨＩＶ感染、成人性白血病など、既存のウイルス感染のない母親を母乳提供者として選び、冷凍母乳として保存し与えている。

市橋部長は「もらい乳は輸血と同じです。すでに分かっているウイルスの感染の危険性はありませんが、まだ発見されていないウイルスがないとは言い切れず、１００％安全とは言えませんが、危険性より利点の方がはるかに大きいのです」と強調する。

心配された新生児壊死性腸炎は、対照群では四十三例中六例（14％）あったが、超早期授乳群では六十六例中一例（１・５％）だけ。これも、出生時のヘルニア治療のために発生した循環障害とみられ、超早期授乳が直接的に影響したものではないという。

胆汁が肝臓にたまって肝機能が低下する「胆汁鬱滞《うったい》」は、対照群では四十三例中五例(12%)あったが、超早期授乳群では一例(1・5%)だけだった。

＊

市橋部長らの研究がきっかけとなり、一九九九年八月から全国のNICU(新生児集中治療室)を持つ病院の研究グループ(NRN)の参加五施設による共同研究が行われた。

これにより、約六十例で、出生体重が千二百五十グラム以下の極低出生体重児への超早期授乳の安全性が確かめられた。二〇〇〇年十一月からは十施設で共同試験が行われた。

市橋部長は「早期に母乳を与えることは、小さい赤ちゃんを産んで傷ついている母親の心の支えになり、母乳育児への励みにもなります。今後は、もらい乳をなくすため、いかに早く母親の母乳を出すようにするかが課題です」と話している。

あごの発達と虫歯の関連性………誤解を招きやすい「母乳齲蝕《うしょく》」

神戸市東灘区《ひがしなだ》で足立優歯科診療所を開業する足立優院長は近ごろ、十代から三十代前半の患者の歯科治療がとても難しくなった、と嘆く。あごの発育が悪いため、嚙《か》み合わせや歯並びが極端に悪く、治療が困難なケースが増えているのだという。

足立院長は「永久歯が生える前の幼児の口中を見ると、すでにその前兆があります。乳歯は永久歯より小さく、歯と歯の間にすき間があるのが正常ですが、まったくすき間がない子が増えているんです」と話す。ここに永久歯が生えると、あごに収まりきらず、歯並びや嚙み合わせが悪くなってしまうという。

なぜ、あごの発育の悪い子供が増えているのだろうか。

足立院長は、戦後になって、哺乳《ほにゅう》びんによる人工乳（粉ミルク）哺育が増加したことが最大の原因だと言う。

「母乳育児は栄養学的な面だけでなく、親子のふれあいの面なども再認識されていますが、乳児が母乳を飲むという動作そのものの意義についてはほとんど認識されていません。歯科的な健康を考えると、母乳を乳房から飲むということは極めて重要な動作なのです」と、足立院長は指摘する。

赤ちゃんは母乳を飲むとき、口に乳首を含んで、ただ吸うのではなく、乳輪までくわえて嚙みつぶすように飲む。口内ではさらに複雑な動きが行われている。

◇赤ちゃんの哺乳動作

①唇の上下と歯茎の上下、舌を使って吸盤が吸着するように乳首をパッキングする

②咀嚼《そしゃく》筋を動かし、乳房を嚙みつぶすようにしながら舌を口の中の上部に押し付け、口腔《こうこう》の内容量をゼロにする

③この状態で、下あごを下方へ動かすことで口腔内に陰圧を生じさせ、母乳を口腔内へ引き出す

④引き出された母乳を胃に飲み下すと同時に、②の動作を行う。この動作の反復で母乳を飲む

この動作で、乳房をパッキングする唇の筋肉と、乳房を嚙むための咀嚼筋が強くなる。母乳は一回に出る量が限られるため、この動作は一日に何回も繰り返される。

一方、人工乳首（哺乳びん）を使ったときの哺乳動作は、下あごの上下運動が小さいのが特徴だ。人工乳首は吸うことが容易で、一度に大量に飲むことができる。人工乳は母乳よりも胃にとどまる時間が長いため、哺乳回数も減る。その結果、生後一年が経過するころには、母乳で育てられた赤ちゃんと比べ、口腔器官の発達が劣ってしまうという。

足立院長は「哺乳期に口腔にかかわる筋肉が正常に発達しないと、離乳期以後の咀嚼機能にも大きく影響します。いわゆる〝嚙めない子〟になってしまうのです」と指摘する。

ほかにも、さまざまな弊害がある。

まず、言葉の発音だ。

「発音は、唇と舌と歯が協調してつくるもの。日本語の『さしすせそ』のように上下の歯のすき間を抜ける音などは、口腔器官が正しく発育していないと、うまく音をつくりにくいのです」と足立院長。

また、歯並びが悪いと、口内に細菌がたまりやすく虫歯や歯周病の原因となりやすい。さらに、嚙み合わせが悪いと、頭痛や肩こりなどの原因にもなる顎《がく》関節症になる可能性が高い。

足立院長は「歯は1%小さくなるのに千年かかるが、あごは一代で30%も小さくなる。赤ちゃんが乳房から母乳を飲む動作は、そのときクリアしなければ、あとから取り返しがきかない。いわば『臨界期』として扱わなければならないのです」と指摘する。

＊

「生涯にわたって自分の歯を使ってもらうこと」を目的に歯科診療所を開業した足立院長は、子供の歯科健康管理プログラムにも取り組んでいる。

しかし小児歯科の〝常識〟には大きな誤解があるという。

「母乳齲蝕《うしょく》」という言葉があり、母乳育児を継続することで虫歯(齲蝕)が多発する傾向が指摘されている。足立院長は「これは、誤解を招きやすい粗悪な言葉です」と強く非難する。

虫歯が発生する仕組みはこうだ。虫歯は口の中に入った糖分が細菌で分解され、その結果できた乳酸により脱灰されて発生する。この際、虫歯になるには歯垢《しこう》が付着していることが必要だが、食物から蔗糖《しょとう》を摂取した場合、分解されて歯の表面に付着して歯垢ができる。その部分に細菌が付着し、繁殖すると虫歯になるという。

ところが、母乳には蔗糖は含まれず、乳糖が成分なので歯垢はできない。つまり、母乳だけを飲んでいる分には虫歯にはならないのだ。だが、歯が生える七カ月ごろには母乳以外の離乳食やジュースなどで蔗糖を摂取しているため、すでにつくられた歯垢に母乳が付着して虫歯になってしまう。

足立院長は「一歳や一歳半の赤ちゃんの場合、栄養をとるためでなく、母子間のスキンシップのためにおっぱいを飲んでいる場合が多いのです。そういう場合、就寝前のことが多く、赤ちゃんはそのまま寝てしまいます。すると、唾液《だえき》の分泌《ぶんぴつ》が減少している睡眠時間に母乳がそのまま残るので、齲蝕が起こりやすくなるのです」と話す。

院長は、母乳齲蝕を予防する方法として、①蔗糖の摂取を制限する　②就寝前に歯磨きし、その後は母乳や食品を口にしない　③お茶にはフッ素が含まれているので一口でも飲ませる——などをあげている。

「ヒトは哺乳動物であり、母乳を飲むことを前提として成長発育のメカニズムが形成されています。『母乳齲蝕』という言葉だけで、断乳をすすめるのは大きな間違いです」と話している。

免疫《めんえき》効果とその応用………母乳は、赤ちゃんを感染症から守る「宝の山」

母乳で育った赤ちゃんは、人工乳で育った赤ちゃんより病気にかかりにくく、治りも早いことが知られている。

三十年以上にわたり母乳育児を推進し、WHOとユニセフの「赤ちゃんにやさしい病院」に認定されている岡村産婦人科医院の岡村博行院長は「赤ちゃんを病気にしないためには母乳、とりわけ初乳を飲ませることが極めて重要です」と強調する。

初乳とは、出産直後から四日目ごろまでに出る母乳で、黄色っぽくねっとりしているのが特徴。初乳は分泌《ぶんぴつ》量が少なく、かつては医学的な意味はないと考えられていた。近年、研究が進むにつれ、免疫学的な価値が非常に高いことが解明されている。

岡村院長は「初乳には『分泌型免疫グロブリン』が、普通の母乳（成熟乳）の約十～二十倍含まれています。消化酵素に対する抵抗性が強いため、消化されずに、壁にペンキを塗るように赤ちゃんの腸粘膜に広がるのです。その結果、細菌やウイルス、アレルギーの原因となる異種タンパクが腸から侵入することができなくなります」と、初乳の免疫作用を説明する。

また、母乳で育った赤ちゃんは気管支炎や中耳炎も少ない。人工乳を与えなければならなくなったケースでも、初乳を飲んでいた場合と最初から人工乳だった場合では大きく違ってくる。

しかし、初乳さえ与えればいいというわけではない。初乳から成熟乳に変わると、分泌型免疫グロブリンの濃度は低下するが、飲む量が増えるため、摂取量は初乳のときと変わらない。つまり、赤ちゃんを病気にしないためには、継続して母乳を与えることが重要となる。

岡村院長は「女性が出産すると、乳房は単なる母乳製造器官になるだけでなく、赤ちゃんを感染症から守る免疫製造器官にもなるのです。初乳は赤ちゃんが最初に受ける予防注射ですから、絶対に飲ませなければいけません」と強調する。

＊

母乳には、このほかにも免疫を高めるさまざまな成分が含まれる。

免疫グロブリンとともに初乳に最も多いラクトフェリン（ＬＦ）もその一つで、研究が進められている。

◇ラクトフェリン（ＬＦ）

多くの哺乳動物の乳汁に含まれている鉄結合性の糖タンパク質。人間では母乳のほか、涙、唾液《だえき》、鼻汁、尿、血液などにも含まれる。人間の初乳には一リットルあたり五〜七グラム（成熟乳は一リットルあたり一〜三グラム）含まれる。ウシラクトフェリンはヒトラクトフェリンと構造や機能が似ており、牛乳（生乳）から工業的に分離されるようになり、商品化されている。熱に弱く、通常の牛乳や乳製品には含まれていない（加熱殺菌しない生乳から作られるナチュラルチーズには含有される）。

ＬＦの研究に力を入れている森永乳業栄養科学研究所（神奈川県座間市）によると、同社は昭和三十年代からＬＦに着目。基礎研究の結果、抗菌や抗ウイルス作用、腸管での鉄の吸収調節、免疫調節など多様な生理機能があることが分かった。さらに同社は、牛乳（生乳）からウシラクトフェリンを工業的に取り出すことに成功した。育児用ミルクやサプリメントに配合して販売するほか、大学病院などに提供して応用研究を進めている。

では、ＬＦの研究が進むと、私たちにどう役立つのだろうか。

二〇〇二年六月、宇都宮市で開催された第八回日本ヘリコバクター学会で、三重大学と和歌山労災病院、森永乳業は、ラクトフェリンが、胃がんなどを引き起こす原因とされるヘリコバクター・ピロリ菌を減少させる効果がある、と発表した。

ピロリ菌の感染者に対し、牛乳から取り出したＬＦを一日〇・四グラムずつ十二週間にわたって摂取させ、プラセボ（ＬＦを含まない偽薬）を与えた感染者と比較した。ＬＦを摂取した感染者の32％は、胃の中のピロリ菌の数にあたる指標が半数以下に低下。菌がほとんど検出されなくなった人もいた。一方、プラセボを摂取した感染者はほとんど変化がなかった。

同研究所基礎研究室の寺口進室長は「ＬＦがピロリ菌に直接障害を与えるほか、人の免疫作用も活性化すると考えられます。メカニズムはまだ解明されていませんが、ＬＦは胃潰瘍《いかいよう》や十二指腸潰瘍、胃がんへの予防食品として期待できます」と話す。

また、ＬＦのＣ型慢性肝炎に対する効果を確認するため、数多くの施設で臨床試験が実施されている。

同じ六月の第三十八回日本肝臓学会でも、北里研究所病院、東邦大学医学部の研究グループがインターフェロン治療との併用効果を発表し、補助的な食品としてＬＦが期待できると報告した。

このほか、発がん性予防効果を示した動物実験や足白癬《はくせん》（水虫）に対する人の臨床効果も、報告されている。さらにヨーロッパでは、肌荒れやシミ予防のためのサプリメントとしても利用されるなど、ＬＦはさまざまな方面で注目を集めている。

森永乳業栄養科学研究所小児栄養研究室の郭《かく》依子副主任研究員は「母乳の効能は分かっていても、どういう成分が働いているかなど分からないことも多いんです。赤ちゃんの唯一《ゆいいつ》の栄養である母乳はとても神秘的であり、まさに『宝の山』です」と話している。

卒　乳………無理やり、やめさせる必要はない

赤ちゃんが初めての誕生日を迎えるころ、母親を悩ませるのが「母乳をいつやめるか」という問題だ。

赤ちゃんが一歳か、一歳六カ月ごろ、医師や保健師、周囲から母乳を無理やりやめさせる「断乳」を勧められることが多い。だが、その根拠となると、「甘えん坊にな

る」「ほかの子はもうやめた」などあいまいだ。

一九九四年に日本で初めて、個人の産科施設としてWHOとユニセフの「赤ちゃんにやさしい病院」に認定された石井第一産科婦人科クリニック（静岡県浜北市）の石井廣重院長は「一歳や一歳六カ月で母乳をやめさせなければならない医学的根拠はない。欲しがるうちは、たとえ二、三歳でも与えたほうがいい。自然に母乳を卒業する『卒乳』を待つべきです」と話す。

WHOは「最低二年以上」母乳の継続を勧めており、国際的基準になっている。「母乳は赤ちゃんの体の栄養であると同時に、心の栄養でもあるからです」と、石井院長はその理由を説明する。

現在では、赤ちゃんは生まれたときから目も見え、耳も聞こえることが分かっている。一歳ぐらいになり、外の世界との接触が増えるにつれ、不安や恐怖も感じるという。それを癒《い》やすのが母親の笑顔や抱っこであり、とりわけ大切なのが、おっぱいを吸うことなのだという。

にもかかわらず、断乳するために、乳房にお化けを描いたり、からしを塗ったりする母親は多い。

石井院長は「赤ちゃんは一番大好きなお母さんに裏切られたと思ってしまいます。

大人でも一番好きなものを奪われたらショックなのに、赤ちゃんがおっぱいを奪われたときのストレスは相当なものでしょう」と話す。

＊

二〇〇二年四月に大きな転機があった。母子健康手帳から断乳という言葉が消えたのだ。石井院長は、これを大きな前進と評価する一方、「まだ、医療従事者の中にも授乳行為を軽く見る風潮があります。誤ったアドバイスで母乳育児をつまずかせ、人工乳にしてしまう場合もあるんです」と危惧《きぐ》する。

授乳期間中に母子どちらかが病気になると、授乳中止を求められることもその一つだ。

石井院長は「原則的に母親が風邪をひいても、授乳をやめる必要はありません。なるべく薬は飲まない方がよいですが、妊娠中や授乳中に飲んでも安心な薬はあります」と話す。

WHOも、母親が結核かエイズ以外では母乳をやめる必要はないと説明している。赤ちゃんが下痢や風邪のときは、むしろ積極的に与えるべきという。母乳の免疫《めんえき》作用で回復が早まるからだ。

さらに、授乳期間中に妊娠した場合も授乳をやめる必要はない。妊娠すると、「流産しやすい」との理由で授乳を禁止されることが多いが、石井院長は「国内でも海外でもそれを裏付けるデータはありません。年間約六百件の分娩《ぶんべん》を扱っていますが、妊娠中の授乳によって流産率が変化することはありません。早産の危険性がない限り、安心して飲ませて下さい」と話す。

院長は、下の子の誕生後は、きょうだいを左右のおっぱいで同時に吸わせるタンデム授乳を勧めている。上の子は、それまで独占していた母親が弟や妹の誕生で自分から離れてしまう不安でいっぱいなのだ。

「上の子にもおっぱいを飲ませると、精神安定剤になり安心します。やきもちを焼かず、弟や妹の誕生を心から喜べるようになるんです」

石井院長は「断乳というのは、『母乳は赤ちゃんの食料』という考え方に立っています。母乳と人工乳を比較すると、母乳の方が栄養成分や免疫成分が優れているのは事実です。だが、赤ちゃんと母親が肌と肌で密着し、目と目を合わせ、お互いを感じ、相互の愛着を形成できるという点が、より重要なんです。『母乳は赤ちゃんが欲しがる間、欲しがるように与えればよい』というのは卒乳だけでなく、母乳育児の基本。

当たり前のことが当たり前にできる社会になってほしいですね」と話す。

　女性にとって長期間続く育児、とりわけ授乳は重労働だ。「乳首が痛い」「長く寝てほしい」と人工乳に代えたり、「早く解放されたい」と早期の断乳を願ったりする母親も多い。しかし、苦労を続ける母親には大きな〝ご褒美《ほうび》〟が待っている。

　赤ちゃんが一日に飲む母乳のカロリーは、母親が一万メートルを走るカロリーに相当する。しかも乳房を吸われることによって、分泌《ぶんぴつ》されるホルモンは母親の下腹部や臀部《でんぶ》の脂肪を母乳の脂肪に変える。長く母乳を与えると、母親は美しいプロポーションになれるという。

　同クリニックの山田恒世助産婦長は「おっぱいタイムが楽しい人は、いつまでも母乳を与えたいと思うようです。けれども、だんだん負担になってしまう人が多いのが現状です。お母さんの負担を理解して、少しでも軽減するよう努力するのが夫や家族の仕事でしょう。これまで女性に強《し》いてきた介護は、ようやく社会がサポートする態勢になってきました。出産や育児も、医療従事者のすべてが意識を高めるとともに、社会全体で支援する時代になってほしい」と話している。

「本当に誰でも母乳が出るの？」………周囲の無理解に母親の悩みは尽きない

第四部「母乳」には、新聞連載中から多くの感想や意見、質問などが寄せられ、改めて母乳育児への関心の高さを実感した。そのいくつかに答えながら、これまで説明しきれなかったことを付け加えたい。

最も多かったのが、「本当にほとんどの人は母乳が出るのか？」（千葉市、30歳女性）という質問だ。

これに対し、岡山医療センター小児科医長の山内芳忠医師は「本当に母乳が出ない人は百人か二百人に一人ぐらい」、岡村産婦人科医院の岡村博行院長も「出ない人は多く見積もって百人に五人はいない」と答える。

石井第一産科婦人科クリニックによると、一九九七年から二〇〇一年に同クリニックで誕生した二千五百七十六人の赤ちゃん（妊娠三十七週以上で二千五百グラム以上）のうち、一カ月健診時で97・1％、四カ月健診時で94・5％が母乳だけで育っている。

石井廣重院長は「もともと母乳にこだわる人は少数でしたが、母乳の良さを十分理解し、乳房の手入れや『山内3・5カ条』などを実行すれば、ほとんどの人は母乳だけで育てられます」と話す。

「実母らが『母乳不足』だと言って、ミルクを足したがるので困る」（大阪府吹田《すいた》市、27歳女性）という悩みも目立った。

厚生労働省の調査では、生後一カ月時に母乳を与えられている赤ちゃんは、一九六〇年の70・5％から一九七〇年には31・7％へ激減。一九九〇年（44・1％）からは横ばいとなっている。多くの医師は、昭和四十年代後半から五十年代生まれの女性たち、すなわち現在、子供を産む世代（三十歳代前半～二十歳代）が育った時代が最低だったと指摘している。

岡村院長は「当時は、母乳の栄養や免疫《めんえき》なども分かっておらず、『ミルクの方がいい』とされていました。その時代に子育てした人は『自分の子はミルクで立派に育てた』という経験と自信から、娘が母乳にこだわると、自分を否定されたように思うのでしょう。気持ちを傷付けないよう、母乳が体と心の栄養であり、母子《おやこ》の絆《きずな》であることを、教えるのではなく一緒に勉強して、よき理解者になってもらうといいですね」とアドバイスする。

卒乳に関する感想も多い。

「断乳」ではなく「卒乳」という考え方に共感する声がほとんどだが、「現在三カ月の子を四カ月後から保育所にあずけるが、あずかる条件が断乳なので納得できない」（大阪市、女性）との悲痛な声もあった。

母乳育児を推進する医師は、母子の愛情を深める観点から、一年間の育児休業を勧める。だが、すぐに職場に復帰しなければならない母親もいる。このような場合、保育所で冷凍母乳を使うことになるが、設備や人手の問題から難色を示す保育所もあるという。

厚生労働省が都道府県などに通知している「保育所保育指針」の「授乳・食事」の項目に、二〇〇〇年から、「母乳育児を希望する保護者のために、冷凍母乳による栄養法などの配慮を行う。冷凍母乳による授乳を行うときには、十分に清潔で衛生的な処置が必要である」と、冷凍母乳に関する事項が加わった。

「日本母乳の会」事務局の永山美千子氏は「保育所は基本的に冷凍母乳を拒否できません。この項目を示してお願いするか、理解ある医師に一筆書いてもらい、交渉してみてはどうでしょうか」と話す。

母乳をあきらめて人工乳にした母親の声もあった。「環境が整わず母乳で育てられなかった。挫《ざ》折感《せっかん》と後悔で一杯です」（静岡県、女性）という。

聖マリアンナ医科大学横浜市西部病院周産期センター長の堀内勁教授は「一番大切なのは母乳かミルクかではなく、母子の絆を深め、いかに愛情を持って育てるかなのです。その手段として母乳が一番有効ということです。悩むより、赤ちゃんをたくさん抱っこしたり、話しかけたりして、少しでも多く触れ合ってほしい」と話す。

永山氏も「みんな最初は頑張ったはず。多くの場合、周囲の無理解や知識のなさが原因で、母親の責任ではありません。母乳でもミルクでも、授乳は母子が密着するときです。目を見つめ、話しかけ、赤ちゃんがいま何を感じ、自分がいま何を感じているかを見つめることが最も大切です」と話している。

＊

現在のところ、母乳育児を成功させるには、母親が相当な知識を持ち、かつ強固な意思があるか、熱心な医師や理解ある病院にめぐり会わない限り、難しい。

多くの医師は「出産は病気ではない」と言わんばかりに、インフォームドコンセント（説明と同意）はなく、母乳の重要さを教えず、あるいは医師自身が知らず、医療側の都合で人工乳を与えている。さらに、周囲も、その状況に追い打ちをかける。

手紙やファクスの多くに、「医療関係者や社会全体が、もっと母乳や子育てに関心を持ってくれるよう、これからも情報を発信してほしい」と書き添えられていた。

記者の家でも二〇〇二年六月五日、長男（第一子）が誕生した。読者の悩みや戸惑いは、そのままわが子の子育てに重なっている。

（担当・篠崎理）

第五部　こころの芽生え

意識的な行動……生後二週目で、目の前の物をつかもうとする

「（赤ちゃんは）いつから意識的に行動を始めるのか？」

スウェーデン・ウプサラ大学のクラエス・フォン・ホフステン教授は二〇〇二年四月、カナダ・トロントで開かれた第十三回「国際赤ちゃん学会（ＩＣＩＳ＝International Conference on Infant Studies）」で、こんなテーマで講演し、この分野の研究者たちの注目を集めた。

長い間、生まれたばかりの赤ちゃんは、刺激に対する反応によってのみ行動すると考えられてきた。しかし、ホフステン教授は「私の考えでは、それは間違いで、生まれたばかりであっても意識を持って動くことができます」と訴える。

首都ストックホルムの北約七十キロに位置するウプサラ市にある北欧最古の大学、ウプサラ大を訪れた。ホフステン教授はここで、四半世紀にわたって赤ちゃんの研究を続けており、乳児の視覚リーチング運動（目の前にある物を見て手を伸ばす運動）な

どの行動学、心理学研究のパイオニア的存在だ。

「観察では、生後二週間ごろの赤ちゃんが、目の前にある何かを取ろうとします。まだ手でつかむということはできませんが、これは取ろうという意思を持った行動に違いありません」と話す。

＊

赤ちゃんが意識的に行動することを裏付ける実験・観察は、世界中の数多くの研究者が手がけている。

ノルウェー工科自然科学大学のオードレー・ファン・デア・メール教授は、生後間もなくの赤ちゃんがある程度、自分の思う所に手を動かしていることを突き止めた。

暗くした実験室の中で、ビーム状の光を照射すると、多くの赤ちゃんが手先に光が当たる位置に腕を動かしたという。ウプサラ大のホフステン教授は「彼女（メール教授）の研究結果は大変興味深いもので、赤ちゃんが光を好んだため、意識して手の位置をコントロールしたのだろう」と指摘する。

ホフステン教授自身も興味深い実験を行っている。モノ（球）を動かし、目の前で止まるようにしてやると、八カ月の赤ちゃんは手に取ってつかんだ。それを何度も繰り返す（刺激①）。やはり同じようにつかむ。しかしこのあと、赤ちゃんをだまし、十センチ程度前でモノを止めてみる（刺激②）。すると、赤ちゃんは刺激①の時、モノが止まったのと同じ位置で、手に取ってつかむ動作をし、モノには手が届かなかった。

ホフステン教授は「モノがどんな動きをするのか、赤ちゃんがあらかじめ予測していたために起きる行動ですね。ヒトは次に何が起こるのか予測できるから、次の行動ができるのです。もちろん赤ちゃんもです」と説明する。

*

意識的に動くとは、どんなことか。ホフステン教授によれば、それは「意思や計画、動機づけがある行動」と定義づけられるという。ヒトは生まれてすぐに、すでにこうした行動ができるらしい。

実際には次に何が起こるか正確には分からないが、想像・予測することはできる。それに対しての動きが、意思、計画、動機づけから生じた行動というわけだ。赤ちゃんであれば、その能力は非常に低次なレベルで、できる行動も限られている。しかし、成長、発達していく段階で、身の回りの環境や自然の原理（重力など）が理解できるようになり、行動範囲が広がっていく。大人のように考えて行動できるようにもなるのだ。

ホフステン教授は「今後は、その発達過程を、脳波を調べることによって、意識的な行動と脳機能の関連付けを確実なものにしていきたい」と展望する。

今後の研究過程の中で、赤ちゃんの脳機能に異常がみられ、意識的な行動に障害が見つかるケースが出てくる可能性もある。

「そうした場合にも赤ちゃんに適切な治療を施せるように、私たちは最近、医療機関と連携してプロジェクトチームを立ち上げました。その輪をさらに広げていきたいですね」と、ホフステン教授は意気込んでいる。

赤ちゃん研究は、障害の早期発見も目的にしているのだ。

チンパンジー研究から……ヒトと同じように微笑《ほほえ》み方が発達していく

二〇〇〇年八月二十五日、京都大学霊長類研究所（愛知県犬山市）。この日、滋賀県

立大学大学院生の水野友有《ゆう》さんは、生後十六日目のチンパンジーの赤ちゃん「パル」の様子を暗視カメラでじっと観察していた。

午後六時十一分。変化が起きた。眠っていたパルの口角が持ち上がり、口が開き、一瞬「ニッ」と笑ったような表情を見せたのだ。

確かにチンパンジーも笑う。だが、生後間もない新生児で観察されたことはなかった。母親の顔を見て微笑むのは生後三カ月以降、「ハーッ、ハーッ」と笑い声を立てるのはずっと後のことだ。

一方、ヒトの場合は出生直後から「ニッ」と笑う現象が知られている。「自発的微笑」「新生児微笑」と呼ばれ、外的な刺激とは無関係に、眠っているときに観察される。

水野さんはビデオに映ったパルの一瞬の表情を見逃さなかった。そして同研究所の松沢哲郎教授らと確認した結果、これが「新生児微笑」であることが分かった。ヒト以外で観察された初めての瞬間だった。

*

「アイ・プロジェクト」のリーダーで、アイとアユムの母子を中心にチンパンジーの行動観察を続けている松沢教授らは、さらにチンパンジーの微笑の、その後の発達を研究している。

一カ月までは新生児微笑が見られる。それは、まどろんでいる時に見られるもので、目と目を合わせて微笑むといったことは、まだない。

二カ月ごろから、だんだんと新生児微笑は観察されなくなる。同時に母親の顔を他のものと区別できるようになる。ヒト、母親チンパンジー、他のチンパンジーの顔写真を見せると、明らかに母親チンパンジーの写真をじっと見つめる、という研究報告もある。

そして三カ月に入ると、母親や、観察している研究者の目を見て笑う。その表情は、口元の筋肉を緩め、丸くあけた状態。ヒトの赤ちゃんを笑わせるときと同じように、手を開いたり閉じたりする「にぎにぎ」や、あやしかけるような表情を見せると、それに対して喜んで笑うという。

チンパンジーの赤ちゃんの笑いも、ヒトの赤ちゃんと非常によく似た発達をとげていることが分かる。

この変化について、松沢教授は「三カ月までの間に、何に向かって笑うのかを具体的に学びつつあるのではないか」とみている。新生児微笑はおもしろいから笑うわけではない。生まれながら、笑う表情そのものが〝遺伝子〟に組み込まれているのだ。チンパンジーはヒトと同様、親しみを込めて「見つめる」ことができる珍しい動物だ。アイもアユムを胸に抱きあげ、母子《おやこ》で見つめ合う様子が観察された。そこで赤ちゃんが微笑むと、母親も愛情を感じ、微笑み返す。そういった母子の相互作用の中で、赤ちゃんは「どういうときに笑うのか」を学び取るのだ。

＊

チンパンジーの赤ちゃんが、母親の目を見て笑うことができるようになる生後三カ月ごろは、外界に目を向け始める時期でもある。生後ほとんどの時間を母親に抱かれたままで過ごしていた赤ちゃんが、母親から数十センチほど体を離す。母に背を向け、広い外界を目にする。そして、興味のあるモノに向かって、そっと片手を伸ばせるようになる。微笑みを習得するころ、赤ちゃんは自立に向けて一歩を踏み出している。

チンパンジーとヒトの遺伝情報は約1％しか違わないことが最近、明らかになった。「進化の隣人」（松沢教授）とも呼ぶべきチンパンジーの赤ちゃんの研究には、ヒトの赤ちゃんを知る多くのヒントが隠されている。

アユムとのコミュニケーション………「指さし」の動作を理解できるチンパンジー

京都大学霊長類研究所の共同利用研究員で、名古屋大学大学院生の岡本早苗さんは、チンパンジーのアユムが生後五カ月になったころから、週に一回のペースで次のような実験を行った。

研究所の地下の実験ブース。アユムと岡本さんは向かい合って座る。両者の間に同じおもちゃを二つ、三十センチ離して並べておく。おもちゃはぬいぐるみやキーホルダーなど約四十組用意してあり、アユムが飽きたら違うおもちゃを与える。

そこで岡本さんが四段階の難易度のジェスチャーをする。「おもちゃの一方を指先で軽くたたく」「指さす」「頭を向けて見る」「頭は正面を向いたまま目だけでちらっと見る」。

アユムはどんな反応をするだろうか。

生後七カ月の時、たたいたおもちゃを見るようになった。たたくときは手が動くし、軽く音がする。それに反応したらしい。

八カ月になると、指さした方のおもちゃを見るようになった。十カ月では、頭を向けて見た方を同じように見た。

そして一歳一カ月。頭を動かさず、目だけでちらっと見たおもちゃの方を見ることができた。この時点で、アユムは「だれかが何かを見ている様子を視線の動きで理解し、視線の先の見えない線をたどってそちらを見る」という行動をとったことになる。

これは「共同注意」と呼ばれる行動で、「社会的な認知能力のひとつ。コミュニケーションをとるために必要な能力です」と岡本さんは説明する。

さらに一歳八カ月になると、アユムの後ろにあるおもちゃを指さしても、振り返って見ることができる。「視野にないものでも、指さした先に何かがある、と理解できるようになります。指さしという動作を理解しているのです」と同研究所の松沢哲郎教授は話す。

＊

これはヒトの赤ちゃんも同じだ。

生後七、八カ月ぐらいで指さした方を見るようになり、一歳過ぎに共同注意ができるようになる。チンパンジーと発達のスピードがよく似ているように見える。が、もともとヒトとチンパンジーでは〝大人〟になる速さが違う。

両者の発達を比較する際には、歯の生え方を指標にする。それによれば、チンパンジーの一歳は、だいたいヒトの二歳ぐらいにあたる。共同注意までの発達を、この指標に基づいて比べると、ヒトはチンパンジーよりもずっと早いことになる。

また、ヒトの赤ちゃんの場合、一歳半ごろまでに、みずから人さし指をピンと立てて、遠くのものを指さすようになるが、チンパンジーにはその行動は見られない。チンパンジーも八カ月ぐらいの時点で、人さし指を立て、指さすような形を作ることはできる。

しかし、それは近くのものをさわる場合だけ。遠くを指し示すことはない。その理由について、「チンパンジーの知性は柔軟で、ヒトの世界に育つと、指さしという動作を理解するようにはなる。だが、もともと彼らの世界では必要のない動作なのです」と松沢教授は説明する。

一方、ヒトの赤ちゃんは生まれて間もないころから、頻繁な指さしコミュニケーションの中で暮らす。「あそこにワンワンがいるよ」「あっちに赤いブーブーがあるね」。

大人は知らず知らずのうちに、赤ちゃんに向かって指さして示している。

「小さい時から、指さしというものにたくさん触れて、それをじっと見ている。その点がヒトとチンパンジーでは大きく違うのです」と教授は言う。

＊

赤ちゃんの発達を比べてみると、一見、同じように思えるヒトとチンパンジー。だが、「同じ発達に見えても、程度は明らかに違う」と松沢教授は言う。

チンパンジーの赤ちゃんも母親と見つめあい、にっこりと微笑む。目線や指さしというコミュニケーションも理解する。だが、そういった動作は、圧倒的にヒトの方が豊かに使っている。

松沢教授は「それだけ、ヒトにとって重要なものだ、ということです。しかし、そのような動作の意味を、普段の暮らしの中で十分に意識しているとは言いがたい。チンパンジーを深く知ることは、ヒトの理解につながるのです」と話している。

自分を知る、数を知る……複数の感覚、統合する能力が現れるのはいつか

東京大学・駒場《こまば》キャンパスにある実験室。

母親に抱かれた赤ちゃんが、スクリーンに映し出された自分の姿をじっと見つめる。ときには、落ち着きなく首を動かしてみたり……。この赤ちゃんは、画面上の「自分」を「自分」と認識しているのだろうか。

東大大学院助教授で科学技術振興事業団研究員の開一夫《ひらき》氏（認知科学）の研究チームは、こうした実験を数え切れないほど繰り返してきた。そして最近、生後六カ月の赤ちゃんが自分の映像を見て「自分が動いている」と認識することを突き止めた。

開氏らは、四～十カ月の赤ちゃんに、おのおのの足を撮影したリアルタイムの映像と、同じ映像でも二秒遅らせて実際の足の動きとはズレがある映像を、スクリーン上に並べて同時に見せた。すると六カ月未満の赤ちゃんは二つの映像を前にキョロキョロし、見つめる時間に差はあまりなかった。が、六カ月以上では二秒遅れの画像を長く見つめる傾向が強かったという。

開氏は「四～五カ月の子はどちらが自分の足か分かりません。六カ月以上になれば、

リアルタイムの映像を自分の足の動きであると認識し、二秒ずれた方の映像を変だと思って注視してしまうのではないか」と話す。

遅れのある映像を自分と認識できるのは、さらに成長してからのようだ。

＊

〇歳児ではなく、二歳から四歳までの幼児に行った別の実験では、興味深い結果が出ている。

二秒遅れで動く自分の映像を見せる場合と、リアルタイムで動く自分の映像の場合のそれぞれで、本人の知らない間に頭にシールを張り、画面を見ながら自分ではがせるかどうかを調べた。

二歳児ではどちらの映像でもシールを取れなかった。四歳になると、どちらの映像でも取ることができた。三歳では二秒遅れの映像を見せたときだけ、はがせない傾向があった。

開氏は「三歳になれば、自分の動きと映像を手がかりにして自分だと判断しシールを取ります。しかし二秒遅れの映像では、取ろうとはするが、間もなくあきらめてしまう。自分でないと思う子供もいるのではないでしょうか。『お友達だ』と叫ぶ子もいました」と話す。

自分を認識する際、シールを取るという動作が入ると、時間のズレが際立《きわだ》ってしまうのだろう。

＊

一方で、開氏は日本学術振興会研究員の小林哲生《てっせい》氏と、〇歳児が数を認知し、ある程度の計算ができることを確認している。

実験は五〜六カ月の乳児約五十人に行った。まず練習として、テレビ画面で、人形が一個ずつ地面に落ちては、音が「トン」と鳴るのを見せる。その後テストを行い、人形が一つ現れて落ちた後に、幕でそれを隠し、続いて音を一回あるいは二回鳴らした。そして幕が上がると人形が二つ。すると、85％以上の赤ちゃんが音が二回したときに、幕が上がって現れた二つの人形をより長時間注視した。

開氏はこう分析する。

赤ちゃんは初めに現れた人形の数と、幕の向こうで落ちた音の回数を足して、いくつ人形があるかを計算している。だから、間違った足し算【1（人形）＋2（音）＝2（人形）】に違和感を覚えたのだ。

これに対し正しい足し算【1＋1＝2】は自然に受け流す。人形と音の数の組み合わせを変えても結果は同じだった。

開氏は「赤ちゃんは正しい場合を正確に予測して、意外な結果に対して、より長く注視したものと思われます」と話す。

小林氏は「これまで乳児はモノ（視覚対象）の数なら区別できるが、大人や子供のようなより抽象的な数概念はないとされてきました。その点でこの研究は新しい知見を含んでいます」と話す。さらに「聴覚や視覚といった複数の感覚の情報を数の点から表象できるということは、乳児がかなり抽象的な数の能力を持つということになります」と指摘した。

自分に対する認識と数に対する認識。一見まったく違うものと思われるが、実は共通点がある。どちらも、複数の違う感覚を統合して認識しているのだ。

開氏は「自分認識では自己受容感覚や運動感覚、数の認識では聴覚、視覚などです。赤ちゃんがさまざまな認知能力をどのように発展させていくのか。とても奥が深い問題で、今後さらに追究していかなければなりません」と話している。

睡眠と覚醒《かくせい》……睡眠のリズムが乱れると、心身の発達に影響が出る

生まれてすぐの赤ちゃんを観察すると、昼夜の区別なく、寝たり起きたりしている。四カ月ごろになると、次第に昼に起きて、夜眠るようになる。

子供の睡眠と発達の関係を三十年以上研究する瀬川昌也氏（東京・瀬川小児神経学クリニック院長）によると、この睡眠覚醒のリズムが、心の発達には重要な役割を果たしていることが分かってきた。

睡眠覚醒の実験はラットを使って行われることが多い。その結果、生後すぐのラットの睡眠覚醒リズムを狂わせると、本能行動の発現と環境への順応性に障害が起き、ヒトの自閉症に似た認知機能の障害、行動障害が現れることが確認されている。

「ヒトの場合も自閉症の約七割は、この時期に睡眠覚醒リズムが形成されていません。生後四カ月ごろ、昼夜の区別なく睡眠していたら危ないんです。情緒の発達に重大な影響を及ぼします」と瀬川氏は警告する。

では、寝ている赤ちゃんの脳では何が起きているのだろうか。

睡眠にはレム睡眠と、睡眠直後の深い眠りのノンレム睡眠があることが知られている。

＊

レム睡眠時には、急速眼球運動（REM＝Rapid Eye Movement）や、夢見に現れる大脳の活動など神経活動が見られるが、抗重力筋の完全な筋活動の停止（アトニア）があり、すべての反射系が抑えられ、外から影響は受けない。

瀬川氏によれば、睡眠には特定の神経物質を分泌するニューロン（神経細胞）が関与しているという。レム睡眠発現には、脳幹のコリン作動性ニューロンが作用し、胎生（妊娠）前半では常にレム睡眠にみる神経活動が続く。後半になってノルアドレナリンニューロンが活動を始め、コリン作動性ニューロンの活動を抑えるという。

これにより、胎生九カ月までに神経活動が活発な時間帯（レム睡眠の原型）と、それらがない時間帯（ノンレム睡眠の原型）が交互に約四十分周期で現れるようになる。

一般に昼夜の区別ができる生後四カ月で、アトニアがレム睡眠のみに出現し、レム睡眠とノンレム睡眠がはっきりする。この過程には、脳の活動を高めるといわれるセロトニンニューロンが関与する。

発達過程のレム睡眠は脳各部の機能的発達に、ノンレム睡眠は脳全体の統制の取れた機能発達、すなわち同期性・相反性活動の形成、本能行動・認知など高次脳機能の機構の形成にかかわっている。

瀬川氏は「各睡眠が本来の機能を発揮するには、アトニアがレム睡眠だけに現れることが必要です。そのために四カ月までに、昼夜の区別に一致した睡眠覚醒リズムを完成させなければならないのです」と話す。

＊

赤ちゃんの睡眠と覚醒が昼夜の周期に同期するのは生後二カ月からで、四カ月までに昼間の睡眠が減り、睡眠覚醒リズムは昼夜のリズムへの同調（サーカディアンリズム）を形成する。

瀬川氏は「リズムの形成には胎生四十週以後、明確な昼夜の区別の下で育てることが必要なのです。生後は夜間の豆電球の光でも、その形成を一カ月遅らせるという報告もあります」と言う。

瀬川氏自身、親の海外転勤で睡眠時間が七時間遅れるなどして、自閉傾向になった生後四カ月の赤ちゃんを診察したことがある。「小さな子供にとって、睡眠覚醒リズムの正常な発達がいかに大切か実感しました」と話す。

ラットの実験から、ヒトの生後四カ月までは説明できるが、その後の昼寝の減少、三～五歳にかけての睡眠覚醒リズム、体温や成長ホルモンなど視床下部のリズムとの同調機構の形成はラットにはない現象で、脳の発達にどんな役割を果たすか分かっていない。

瀬川氏は「それらの障害とされるダウン症候群とトゥレット症候群の研究から、人間だけが持つ大脳前頭葉の関与する知能の発達と、社会性や共感性、おそらくは『心の原理』の発現に関わってくるのでは」と指摘する。

自身の治療経験から、これらの疾病《しっぺい》は早期に睡眠覚醒リズムを確立することで改善するという。

「四カ月までは日光に当てることと親による養育、乳児期は加えて食事や他人との接触、さらに幼児期は歩行や同年齢の子供との接触が、環境刺激として大切なのです。これが疾病の改善と健全な心の形成につながります」

赤ちゃんのこころの芽生えには、ヒトの生活リズムの基本でもある睡眠覚醒が深くかかわっている。

（担当・篠田丈晴、岸本佳子）

第六部　這《は》えば立て

胎動……受精後六週ごろから胎児は自発的に動き出す

胎児のときの行動、つまり「胎動」は、ヒトの動き、行動の始まりといわれている。胎動に関する研究は、欧米では一九三〇年代にすでに始まっていた。流産などで母体から出てしまった胎児を、毛などで刺激したところ、反射的に動いたのだ。これは初めての脊髄《せきずい》反射で、胎児は頭の先からお尻《しり》の端までの長さが二十二ミリ、受精後六週（四十〜四十二日ごろ）だったという。

そして一九八〇年ごろから、超音波が医療の現場に導入されるようになった。オランダのヘインツ・プレヒテル博士らが、妊娠中の母親のおなかの中を超音波を使って調べ、三〇年代に分かった胎児の動きを改めて確認した。さらに、新生児にみられるような反射以外の自発運動と同じ運動が、胎児にもみられることも報告された。

同じころ、筑波大学大学院人間総合科学研究科の岡戸信男教授（神経生物学）は、脊髄に初めてシナプス（神経細胞と神経細胞の結合部）が出現するのが受精後六週ごろであることを、電子顕微鏡を使って突き止めている。

岡戸教授は「シナプスの出現は、胎動の始まりと密接に関係しています。すでに反射弓（反射を起こす電気的信号を送る神経回路）が生まれ、回路の間をつなぐシナプスが形成されているのです。ですから受精六週で、ヒトは初めて動くと考えていいと思います」と話している。

＊

胎内で初めて行動を起こすのに必要なシナプスの数は、それほど多くはないらしい。岡戸教授は「成熟したラットの場合、大脳皮質一立方ミリ当たりに18×10の8乗個のシナプスがありますが、ヒトの脊髄も同じ程度であると考えられることから、胎児であればその二十分の一程度ではないか」と説明する。

ただ、このころの動きは、局所的な反射でしかない。子宮の中でのけぞるような動き、たとえて言うならば、熱い物に触って手を引っ込める程度の動きしかできない。

ところが、十週ごろになると、シナプスの数が急激に増える。

岡戸教授は「シナプスはだらだらと増えていくものでなく、八～十週ごろにかけて急激に増えます。プレヒテル博士の観察などから、十週ごろから胎児の動きが急激に活発、複雑になってくることが分かっています。急激な増加は、決して無関係なことではないのです」と強調する。

八週には「スタートル」と呼ばれる驚愕《きょうがく》のような全身運動しかできなかったのが、十週には手足の曲げ伸ばし、頭の回転、伸びをしてあくびを行うような動きができるようになるという。

＊

ヒトは受精後六週の胎児で原初的な脊髄反射が生まれるが、これだけでは生き物らしくない。触れられるとオーバーなリアクションをし、抑制が効かないのである。

人間の行動は、脳、脊髄のレベルで「興奮系」と「抑制系」の二つの要素から成り立っている。最初に出てくる脊髄反射は興奮系で、神経伝達物質のＧＡＢＡ（ギャバ）やグリシンなどが働く抑制系は十三〜十六週ころになって、初めて出てくる。つまり、この二つの要素が共存して初めてヒトは抑制の効いた行動が可能になるわけだ。

岡戸教授は「抑制系の神経回路ができて、初めて生物らしく行動ができるようになります。そして、脳幹や大脳から脊髄への入力があって初めて、脊髄が成熟した機能を持って働くようになるのです」と説明する。

人間は感情の生き物である。喜怒哀楽は、行動に抑制が利《き》いて初めて生まれる。岡戸教授も「胎児に見られる脊髄の低次なレベルの抑制と、感情的な行動の抑制を単純に比較することはできないのですが、考え方としては基本的に同じなのかもしれませんん」と話す。

受精後六週での胎動。いずれにしても、これが私たち人間にとって、初めての動きであることは間違いない。

眼球運動と脳機能の発達……胎児の間にすでに生物時計が働いている

受精後六週で動き始めた赤ちゃんは、受精十週ごろ（妊娠週数では十二週ごろ）には、手足を伸ばしたり、頭を動かしたり、さまざまな動きを始める。

眼球が動かせるようになるのもこのころだ。その動きは非常に小さなものだが、妊娠十四週ぐらいになると、超音波断層装置を使えば観察することができる。

超音波で胎児の頭部の横断面の画像を見てみる。すると、眼球のレンズの両端が白い一対の点として現れる。この部分を継続して観察すれば、眼球がどのように動いたか分かるのだ。

*

豊見城《とみしろ》中央病院(沖縄県豊見城市《とみぐすく》)の医師、堀本直幹《なおき》氏は、九州大学医学部に在籍中から眼球運動に注目してきた。胎児の眼球の動きから、それをつかさどる脳の機能の発達を見ようとしている。

胎児の眼球は初めのうちは、ギョロッと動いたと思うとしばらく止まり、またギョロッと動く、といったランダムな動きを見せる。だが、妊娠二十五週を過ぎるころから変化が見られる。

堀本氏は二百四十例の胎児を観察した。観察時間は一時間とし、その中で一分間に一回以上、眼球がギョロッと動くと「眼球運動あり」とみなす。その時間が一定以上続けば「眼球運動期」とする。「眼球運動なし」の時間が続けば「無眼球運動期」と考えることにする。

観察したすべての胎児の結果について、統計的な解析を行ったところ、二十五週では眼球運動期はだいたい七分ぐらい続き、二十九~三十週までほぼ変わらない。それを過ぎるとだんだん長くなり、三十七週には二十七分になる。この後、だいたい二十七〜三十分間で一定する。

一方、眼球が全く動かない無眼球運動期は三十一〜三十二週までは六分から十分ぐらい。その後少しずつ長くなり、三十七週ごろには、二十三、四分間、止まったままになる。それ以後、目立った変化は見られない。

こうして見ると、眼球運動期の変化にも無眼球運動期の変化にも、二つの節目があるが、最初の節目は二週間ほどずれていることが分かる。

「眼球を運動させている機構と静止させている機構は、互いに独立したものだということです。両方の機構が組み合わさって、リズムを作りだしているのです」と堀本氏は話す。

実はこの眼球運動期と無眼球運動期は、成人の「レム睡眠期」と「ノンレム睡眠期」に対応する状態であることも分かった。胎児にも、成人のような睡眠のリズムがある。すなわち、胎児にもすでに、リズムをつかさどる「生物時計」が働いているのだ。成人の場合、生物時計の制御中枢《ちゅうすう》は脳幹にある「橋」から延髄にわたる領域にある、と推定されている。

堀本氏は「つまり、この領域は妊娠三十週ごろに機能し始め、三十七週ごろには胎児なりに成熟する、と考えられます」と言う。

＊

眼球を観察すると、胎児は寝てばかりいるわけではないことがよく分かる。三十八週の胎児の眼球の瞳孔径《どうこうけい》を調べてみると、無眼球運動期はほぼ二ミリ前後で一定しているが、眼球運動期の中で、四ミリほどに広がる「散瞳」の状態を示す時期がある。この期間が覚醒《かくせい》とみなされる。

また、男の新生児の陰茎も勃起《ぼっき》することが知られているが、堀本氏たちの観察で胎児にも認められ、さらに眼球運動期と無眼球運動期には違いがあることが分かった。妊娠三十六週から四十一週の男の胎児十一例について、超音波装置二台を使って、眼球と陰茎を一時間観察した。

すると眼球運動期でも、瞳孔が広がり目覚めている状態の時には、勃起が見られないのに、睡眠状態にあるとき、つまり成人のレム睡眠状態に対応する時間には、陰茎の勃起が観察された。

一方、無眼球運動期には時折、勃起が見られたが、頻度は眼球運動期の五分の一以下。眼球運動期のほうが勃起する頻度が高かった。

このほか、眼球運動期は無眼球運動期よりも心拍数の一時的な上昇がよくみられることや、胎動も活発であることなどが明らかになっている。排尿が見られるのも眼球運動期の初期である。

このように、さまざまな行動の状態が、まとまって見られるようになるのは妊娠三十五、六週ごろからということが、はっきりしてきた。

「妊娠期間の最後のほうになって、ようやくこういったリズムができてきます。赤ちゃんは、それを整えた上で生まれてくるようにできているのです」と堀本氏は話している。

胎児の「驚き」……受精後二十週で、基本の動きがほぼ完成する

「受精後二十週で胎動のほとんどのパターンが出そろいますが、それはヒトの、その後の動きのパターンとほとんど一致しています」

そう話すのは、胎動から新生児・乳児の行動への連続性について、十数年にわたっ

て研究・観察を続けている東京女子医大の小西行郎教授（乳児行動発達学）だ。母親の胎内でも〝赤ちゃん〟は、泣いたり、笑ったり、見たり、あくびしたり、食べたりする……。頭を掻《か》くことだってある。ヒトの基本的な動きは、胎動の要素でほとんど足りてしまうという。

「受精二十週以後、脳などの中枢《ちゆうすう》神経はめざましく発達し、その後見られないほどの劇的な変化を遂げているにもかかわらず、胎動に大きな変化がないのは興味深いことです」と小西教授は話す。

その後、胎児の動きは大きな変化がないまま、母親は出産を迎える。ただ、子宮の大きさにも関係するのか、出産間近の三十六〜三十七週ごろから、胎動の頻度も速さも少しずつ減る。

このように、受精後六〜八週ごろに初めて現れるといわれる胎動は二十週でほぼ完成し、出産まで持続するのだ。

＊

小西教授がかつて師事したオランダのプレヒテル博士らの一九八〇年代後半の研究には、胎児の動きに関して興味深いものがある。

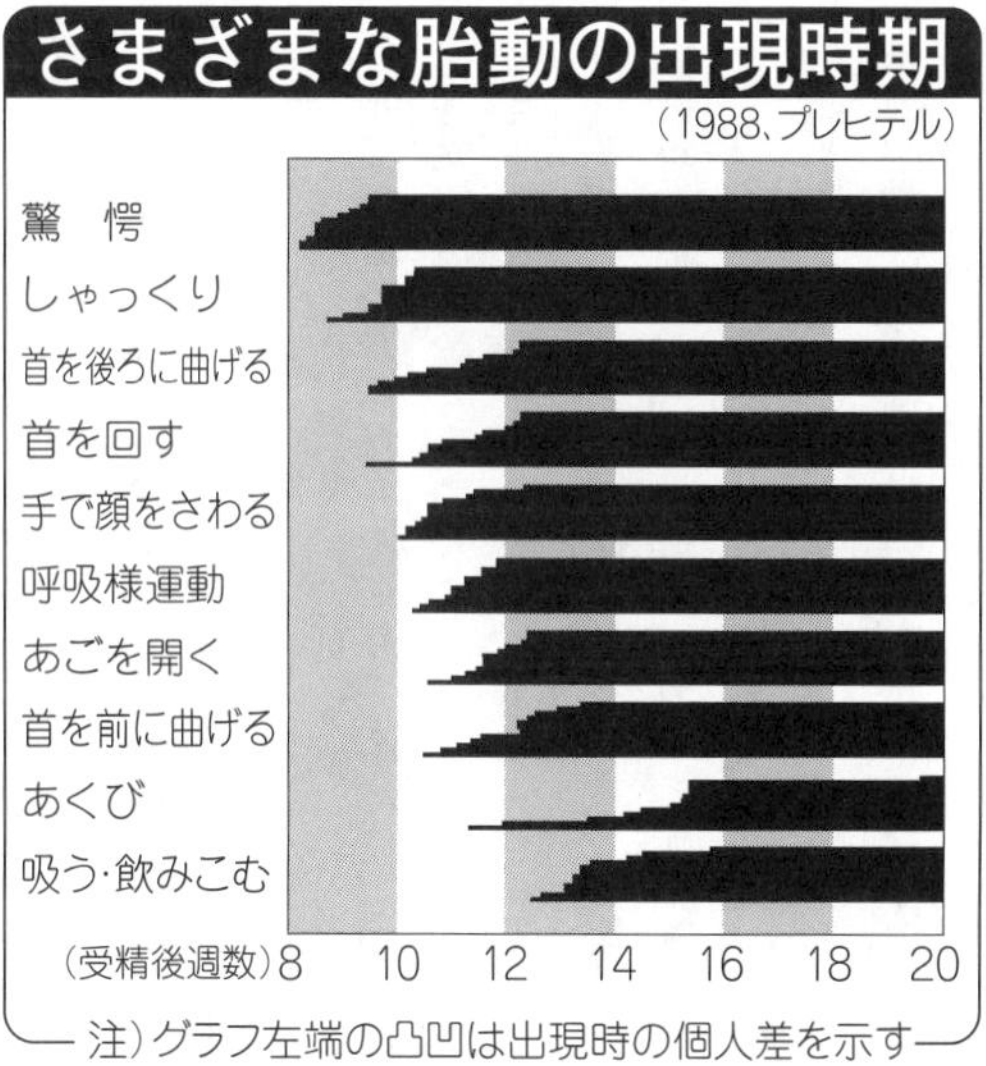

受精８週ごろから、早くも胎児は「驚き」の運動を始める。

それは、受精八週ごろに現れる「スタートル」と呼ばれる驚愕《きょうがく》の動きが、体の一部を少しずつ動かすのではなく、小さいながらも全身を使っている運動であるということだ。

さらに小西教授は、自身の観察から、受精十五週ごろに現れる胎児の指しゃぶりについて、「頭の向いた方の指しかしゃぶらないし、すでに口を開けて指が来るのを待っている」ことを確認している。

つまり、スタートルならば全身、指しゃぶりであれば、頭、口、手といった具合に、体の各部が連携をもった協調運動だということだ。

小西教授は「協調運動が出現するということは、胎児のこの時期でも、神経回路網がすでにある程度存在していることを意味しています」と説明する。

この運動は、まず首がすわり、お座りをし、つかまり立ちをし、さらには這《は》い這《は》い、二足歩行というように、頭から足、尾へと発達していくという従来の発達神経学の常識に当てはまらないことになる。

小西教授は「従来、胎動は発達神経学の研究対象となることが少なかったのです。胎動から新生児・乳児の行動への連続性を考えていくことは、赤ちゃん研究でも大切な課題となります」と話している。

ただし、すべての胎児で同じような胎動のパターンが現れるわけでもないらしい。それには、胎児自身の病気や、母親の精神状態や病気などが影響を与えるという。例えば、大災害のあとで不安が強くなった妊婦では、胎児の胎動が頻繁になる傾向があるという。

＊

小西教授は「もちろん妊娠中の母親の精神状態が、そのまま子供の一生を左右するものとは考えにくいですね。母親の感情が非常に不安なときには胎動に変化が出るという程度だと思います」と話す。

また、糖尿病の母親の胎児を観察したところ、健康な母親の胎児に比べて成長が遅れ、胎動の出現も一～二週間遅れるという報告がある。しかし、受精十二週には胎動も大きくなり、出現回数も増え、二十週ごろからはほぼ正常に成長するようになったという。

小西教授は「病気や薬の服用について、胎児に対する影響を調べた報告は多数ありますが、胎動に関してはあまり調べられていないのが実情なのです」と説明する。

胎動と生後の動きは密接にかかわっているのだから、こうした研究成果が積み上げられ、関係が明らかになることを期待したい。

三つの行動パターン……いったん消えて再び現れる
「U字型現象」の解明へ

「手を伸ばすだけでつかむことはできないが、取ろうという意思を持った行動に違いない」

赤ちゃんの視覚リーチング運動（目の前にある物を見て手を伸ばす運動）を研究しているスウェーデン・ウプサラ大学のホフステン教授は、生後二週の赤ちゃんの観察から、こうした動きを確認している。

しかしその後、赤ちゃんは目の前にある物に手を伸ばすことができなくなる。そして生後四カ月ごろになって再び手を伸ばし、今度は物を実際につかむ子もいるという。

ホフステン教授は「発達過程の中で、運動能力が下降することも考えられます。目前の物をつかむには、腕を伸ばすと同時に手で握らなければならない。しかし生まれたばかりの赤ちゃんには、そうした神経組織がまだないため、それができないのです。再組織化するために、一時的に能力が低下するのではないでしょうか」とみている。

一度低下した能力が再び現れるとき、よりしっかりとした意思をもって正確に行動することが可能になるらしい。

東京女子医大の小西行郎教授は「いったん消失して再び現れる動きを、U字型現象の運動、行動と呼んでいます。胎児期にみられる行動が新生児期にいったん消え、再び出現する運動もU字型現象ですね」と説明する。

＊

小西教授によれば、胎動から新生児・乳児の行動への連続性には三つのパターンがあるという。

第一に、胎児期に見られ、新生児期に消失する行動。

これは生きていくうえで、それほど重要でないと思われる。「スタートル」と呼ばれる、全身を使って驚くような動きや、顔を手で触る動き、手足をブルブル震わせる動きなどが挙げられる。

「生後三、四カ月になって残っていたら、逆に障害を疑っていいと思います。あらかじめ出生後に消えるようにプログラムされた運動なのではないでしょうか」と小西教授は話す。

第二に、胎児期から一生消えない行動。呼吸様運動や眼球運動、吸う運動、排尿などがそうした運動と考えられる。このうち、受精後十六週ごろに現れる呼吸様運動は、胎児では連続して起こるものではなく、眠っているときに多く見られる。

「肺がまだ成熟していないため、新生児や大人の呼吸運動とは少し違いますが、胸郭、横隔膜の動きに大きな差はなく、一連の連続運動と思われます」と小西教授は話す。

生命の維持に必要な基本的な行動は、一生消えずに持続するようだ。

*

そして第三が、U字型現象と呼ばれる、いったん消失して再び現れる行動だ。

視覚リーチング運動や指しゃぶりなどがしばしば研究対象となっているが、胎動以来、ヒトの運動の要素の多くにU字型現象が起きているらしい。

小西教授は「U字とは、同じ運動が二度現れるのではなく、原型があって、それがいったん消え、より成熟・熟達した形で再び出てくることなのです。その際、新しい動きはある程度意識的なものになっています」と話す。

これに対し、ホフステン教授は、行動の最初の発現のときから意識を持って動いていると考えており、意見が分かれている。随意運動の発現の時期などはまだ検討の余地があるようだ。

それでは、なぜU字型現象が起きるのだろうか。現象としては、多くの研究者が認めているが、残念ながら、その理由については明確な結論がまだ出ていない。

さらに、運動の最初の出現は遺伝、本能的なものなのか、二度めの発現は、鍛えればさらに伸びる性質のものなのか。果たして早期教育に結びつくものなのか。大変興味深い問題だが、分かっていないことが多い。

小西教授は「U字型現象は動きだけでなく、認識レベルにも存在しています。その解明は、赤ちゃん、さらにヒトの発達研究の中でも重要な課題です」と話している。

泣く笑う……温度変化から赤ちゃんの感情を探る

赤ちゃんは、気持ちがよい時楽しい時には笑い、不愉快なときには泣く。まだ言葉を話せない赤ちゃんは、顔の筋肉を使ってさまざまな動きを見せ、声を出しながら、快、不快を伝えている。

だが、漠然とした表情筋の動きから赤ちゃんの快、不快をとらえるのではなく、その際に起きる生理的な変化を、指標を用いて客観的にとらえることはできないものか。兵庫教育大学の松村京子教授（環境生理学）のグループは、笑ったとき（快）、泣いたとき（不快）の赤ちゃんの顔の皮膚温度を測定。その温度変化から赤ちゃんの心に迫ろうとしている。

生後二カ月から十カ月の赤ちゃん十二人を対象に、次のような実験を行った。室温二五度に保たれた「人工気候室」。ここに、ベビーチェアを用意し、赤ちゃんに座ってもらう。お母さんのひざに座ってもらう場合もある。そこへ大人があやしかけたりしながら笑わせる。

その様子を、赤外線カメラとビデオカメラで録画する。この中から二分間、笑って

「笑い」表出前の表情とサーモグラム

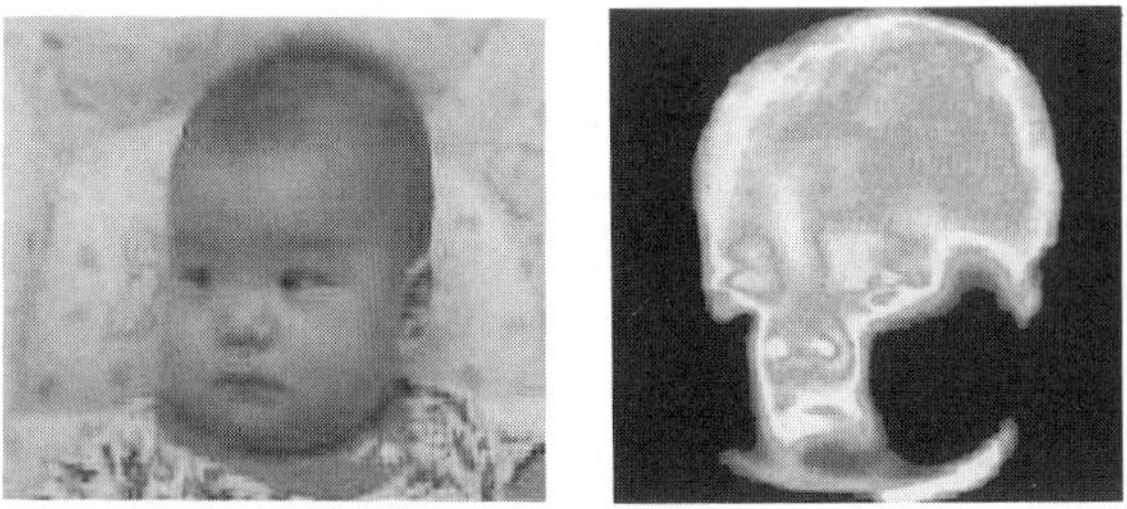

「笑い」表出後の表情とサーモグラム

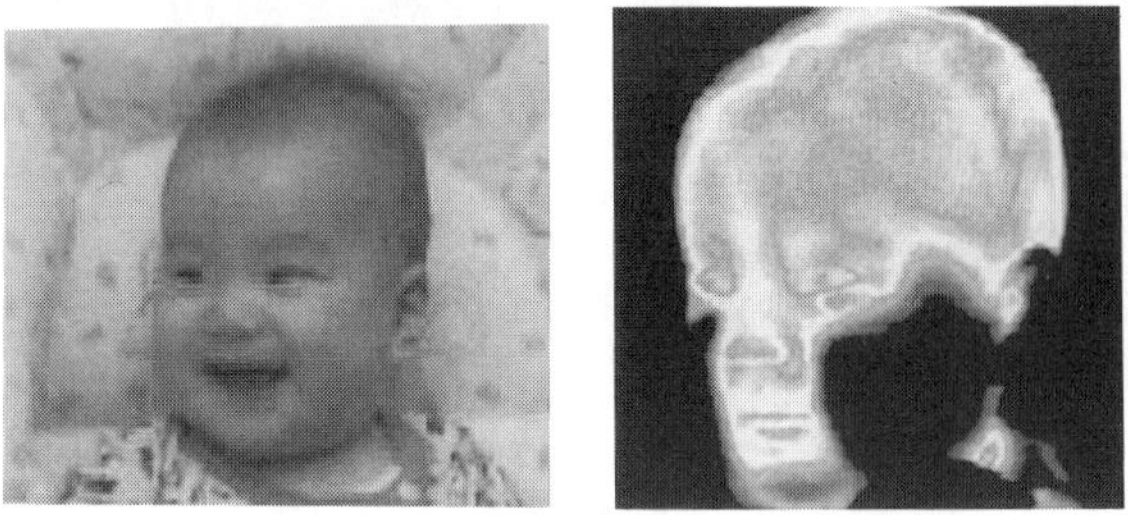

4～6カ月児が笑うと、鼻の温度が0.8～1.4度下がる。
赤外線撮影によるサーモグラムでは、赤色から緑色に変化した。

いる場面を取り出して、赤外線撮影によるサーモグラムと照らし合わせる。すると、笑った時の皮膚温の変化が分かるのだ。

顔面の中でも、比較的測定しやすい鼻の皮膚温の変化を見た。するると、二〜三カ月の赤ちゃんはほとんど変化がなかった。一方、四〜六カ月の赤ちゃんは〇・八〜一・四度下がっていた。また、八〜十カ月の場合も、〇・四〜一・六度下がっていた。ちなみに、大人も同様に測定したところ、〇・九〜一・九度低下したという。

この実験から、赤ちゃんは笑うと皮膚温が低下することが明らかになった。だが松村教授は「実は、実験前は逆の結果、つまり皮膚温が高くなる、と予想していたのですが」と話す。

*

皮膚温をコントロールしているのは自律神経系だ。自律神経系のうちの交感神経系が緊張して血管が収縮すると、皮膚温が低下する。一般に交感神経の緊張が抑制されると、血管が拡張し、皮膚温が高くなるという。

交感神経系が働くのは、強いストレスがかかったり、興奮状態にある場合だ。リラックスした状態の時には交感神経系の活動は弱まっている、と考えられている。そのため教授は、「笑うとリラックスして皮膚温は上がる」と予想していたのだ。

しかし、結果は逆だった。

「推測になりますが、おそらく、キャッキャッと笑うことで興奮状態にあった、ということでしょう。大人の結果からも分かるように、決して笑うことがストレス、というわけではありません」と、松村教授は分析している。

一方、泣いた場合も同様に実験した。

赤ちゃんを人工気候室に入れ、一人にする。時折、お母さんの顔をチラッと見せながら、赤ちゃんがぐずって泣くのを待った。

結果は、二、三カ月児ではほとんど変化がなく、四～六カ月で〇・四～一・六度の上昇が見られた。

だが、泣いた場合のデータは、笑った場合より数が少ないため、この数字は統計上有意ではなく、松村教授は「泣いた場合は笑った場合ほどの変化は見られなかった」と結論づけている。

ただ傾向としては、皮膚温が上昇している。泣くというのは赤ちゃんにとって大きなストレスだろうから皮膚温は低下する、と予想していたが、これも逆だった。

「泣くことによって代謝が増加し、体内で熱産生が起き、顔面の皮膚血管が拡張した、と考えられます」と松村教授は話す。

また、この実験では、赤ちゃんは空腹や痛みを感じるなどの生理的な原因から泣いたのではなく、ぐずって泣いていることに注目したい。

松村教授は「まだ乳児期前半の赤ちゃんは、生理的な不快さは強く感じても、より高次な情動（不安や寂しさなど）はあまり強く感じていないのではないでしょうか」と推測する。

ただ、「正直言って、よく分からないことが多いですね。例えば泣く直前は、やはり強いストレスがかかっていると思うし、そのあたりも調べてみたい」と松村教授。

言葉では伝えることができない赤ちゃんの気持ち。皮膚温の変化が、それを理解する手がかりとなるかもしれない。

ジェネラル・ムーブメント……生後二カ月が、成長する上での大きな転換点

生後まもない赤ちゃんをあおむけにして、布団《ふとん》の上に寝かせておく。するると、赤ちゃんは間断なく、小さく、時には大きく、体の部位のあちこちを動かしているのが分かる。頭を動かしたり、指を口にいれてみたり、足で蹴《け》るような動きをしたり。こういった赤ちゃんの動きを「自発運動」と呼び、原始的な反射運動と区別している。

一九八〇年代、自発運動研究の第一人者、オランダのプレヒテル博士は、自発運動をさまざまなパターーンの動きに分類。その中で、もっともよく観察された運動パターンを「ジェネラル・ムーブメント（GM）」と名づけた。

GMとは、「蹴る」や「手で顔を触る」などには分類されない、独特の動きである。手や足のいずれかの部分から動きはじめ、しだいに体全体を動かすもので、動きの大きさやスピードはさまざまな変化をする。

一見、説明しがたい動きなのだが、「GMは脳や神経の発達を反映している、とい

うことは今や共通の認識になりつつあります」と福島大学教育学部の高谷理恵子助教授は話す。高谷助教授自身、早くからGMに注目して、その動きを詳しく調べてきた。

＊

まず、漠然としか捕らえられないGMを、目に見える軌跡として表すことを考えた。赤ちゃんを裸にして、手首、足首の四カ所に光を反射するテープを巻く。赤ちゃんにライトをあてて反射させ、それをビデオに記録して軌跡を描いてみた＝左頁写真参照。

すると、生後一カ月では、手足があちこちに動き、複雑な軌跡を描く。ところが二カ月になると、四肢はいずれも円を描くような単純な動きをしているのがわかる。三、四カ月になると、また複雑な動きに戻る。U字型の発達をしていたのだ。

次に、GMを含めたさまざまな自発運動を「アクトグラム」に表してみた。アクトグラムとは、特定の行動の出現を一定時間観察し、グラフ状に記録したものだ。

早産で生まれた赤ちゃんの受精後三十四週、出産予定日後二カ月、予定日後四カ月、

福島大学にある赤ちゃんの観察室。

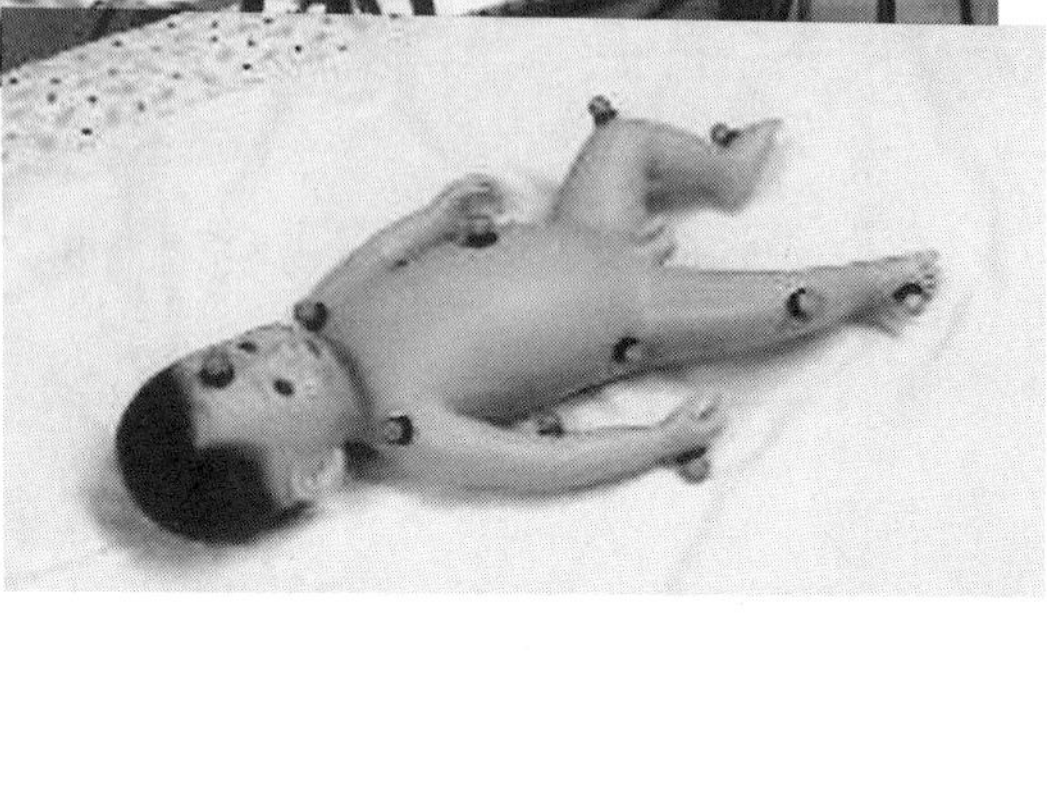
赤ちゃんにつけるマーカー。

の三つの時期で作成した＝左頁図表参照。

すると、GMはどの時期にもほとんど常時、出現する。だが、痙攣《けいれん》するような動きは予定日後二カ月以降、一瞬も現れなかった。また、指しゃぶりなどは、予定日後二カ月で見られなくなるが、その後、再び断続的に出現した。

つまり手足の軌跡で見られたGMの変化は、痙攣や指しゃぶりの出現と呼応し、生後二カ月が大きな転換点であることが分かる。そして、GMやその他の自発運動は、発達の段階とともに変化していることが分かる。

＊

実はプレヒテル博士も、GMのパターンが他の自発運動と関連しながら、発達とともに変化していくことを報告している。

GMが最初に観察される受精後九週ごろから生後二カ月ごろまでの初期の段階は、「ライジング」と呼び、もがくような動きを示す。二カ月ごろになると、そわそわもぞもぞした動き、「フィジェティー」というパターンに変わり、これは五カ月ごろまで続く。

そして五カ月ごろになると、手をあわせたり、ものをつかんだり、といった随意運

早産児の自発運動の発達的変化

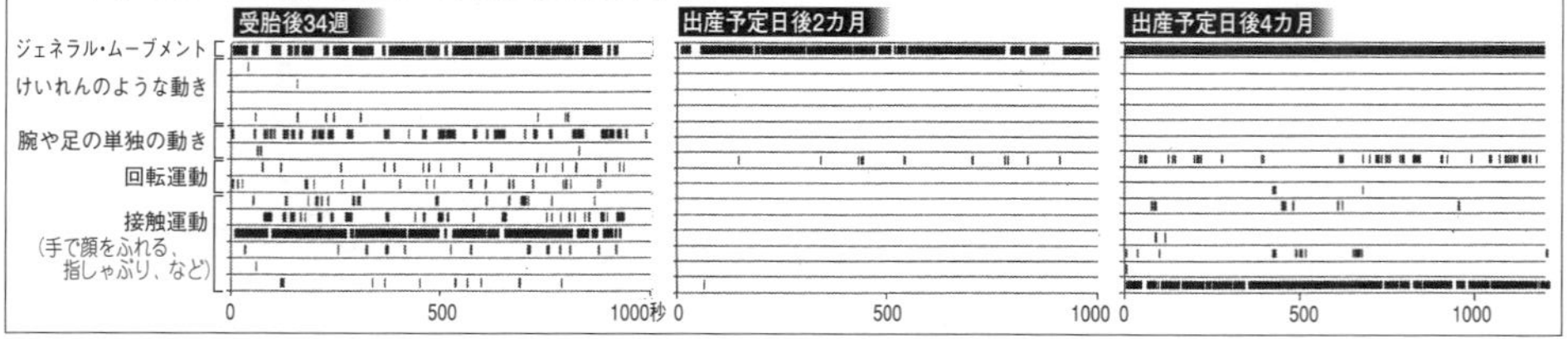

赤ちゃんの自発運動を筋状のグラフにすると、興味深い結果が出る。胎児の時に見られた自発運動が、生後２カ月ごろにほとんど見られなくなるが、生後４カ月になると再び現れる。

動が見られるようになり、GMは消えていく、というわけだ。

高谷助教授は「二カ月というのは、運動面の発達において重要な転換点です」と指摘する。

「既にもっていた、さまざまな運動パターンが取捨選択されて、必要な動きだけが、適切な場面で出し入れできるように変わっていく。乳児の運動パターンの再組織化のようなことが起こっているのではないかと考えています」

さらに、運動面だけでなく、光刺激に対する大脳皮質の反応も、二カ月ごろを境に劇的に変化することが分かっている。高谷助教授らはこの時期の変化を「生後二カ月の革命」と呼んでいる。

ライジングとフィジェティー……微妙な動きから脳の障害を発見することもある

赤ちゃんの自発運動のひとつ、ジェネラル・ムーブメント（GM）。

この動きが、実は発達とともに少しずつ変化しており、脳や神経の発達を反映していることが分かってきた。そのためGMは、生まれてまもない赤ちゃんの脳障害の有無を判定するひとつの指標にもなっている。

脳障害の可能性のある新生児でも、それを見つけることができるのは、だいたい生後半年ごろのことが多い。

「もちろん、明らかに症状が重い場合は、もっと早い時期に分かります。でも、軽い場合は、MRIなど画像からでも異常が見つからない、ということがあります」と東京女子医大乳児行動発達学講座の理学療法士、中野尚子氏は説明する。

だが、GMを観察し、運動の質を見極めることで、軽度の異常に気が付くことがある。

＊

GMの初期の段階（生後二カ月まで）には、正常な場合は「ライジング」という、もがくような複雑な動きが観察される。

ところが、非常に単調で多様性のない動きだったり、動きが硬直して見えるような場合がある。つまり、正常なパターンから大きく外れた動きを見せるわけだ。

「観察していて、あれっと思うわけです。観察の経験を積むと、異常なパターンをある程度、見分けることができるようになります」と中野氏は話す。

さらに注意して観察を続けると、二カ月をすぎても、次の段階の「フィジェティー」と呼ばれる、そわそわもぞもぞした動きが出てこないなど、明らかに異常な動きを見せる場合がある。

中野氏は「フィジェティーが見られない、見られても非常にぎごちない動きだったりする。このような場合には、脳障害があるのではないかと考えて、注意深く観察を続けます」と話す。

実際、GMの異常に気が付き、観察を続けていると、結果的に痙直型《けいちょく》などの脳性麻《ま》痺《ひ》であった、というケースもある。

また、「脳性麻痺などの運動障害だけでなく、他にも何らかの発達障害の可能性を示唆《しさ》していることもあります」と中野氏は言う。もちろん、最終的な判定には、医師による神経学的な診断なども合わせて行う。

だが、GMの名づけ親でもあるオランダのプレヒテル博士によれば、適切なトレーニングを受けた人がGMを観察し、異常と判定した場合、その予測は、八割から九割の高い確率であたっている、という。

中野氏の経験でも、妊娠三十週初期に生まれた未熟児の赤ちゃんが三十八週になったころ、動きを観察していて、異常なライジングに気づいたことがある。足の動かし方がなめらかでなく、違和感を覚えたという。

この赤ちゃんは、結果的に脳性麻痺だった。このケースはＭＲＩの画像診断でも、「脳質周囲白質軟化症」が認められた。赤ちゃんの体の動きは、異変を伝えていたのである。

＊

中野氏は二十年以上、脳性麻痺や発達の遅れのある子供たちのリハビリに携わってきた。最近では、早産未熟児にかかわり、本来ならば胎内にいるはずの赤ちゃんが、いかに外の環境に適応していくか、ということを考えてきた。

小さく生まれた赤ちゃんは、発達においてさまざまな危険性を抱えがちだ。もし障害があるならできるだけ早く見つけだし、その赤ちゃんにあった方法でケアしたい。そのためにＮＩＣＵ（新生児集中治療室）などで、小さな赤ちゃんの「動き」をつぶさに観察してきた。

中野氏は「まだ外界に適応できない小さな赤ちゃんに、不必要な刺激を与えることは禁物です。大変なストレスになると考えられます」と話す。

それだけに、GMは観察するだけで異常に気づくこともあるため、有効な評価法だといえる。

ただ、まだ研究途上で、十分に活用できるというほどではない。中野氏や福島大学の高谷理恵子助教授らは現在、GMの複雑さを解析して、より客観的に評価する方法を研究中だ。

不可解に見える赤ちゃんの動きの中に、赤ちゃんの脳を深く知るためのカギが隠されている。

這《は》い這《は》い……脳を発達させるための刺激を与える動作

赤ちゃんは、足で立って二足歩行を始める前、這い這いをしてあちこち移動する。全身でけなげに動く姿はほほえましい。

これは、赤ちゃんの発達過程の中で、当たり前の行動と考えられてきた。

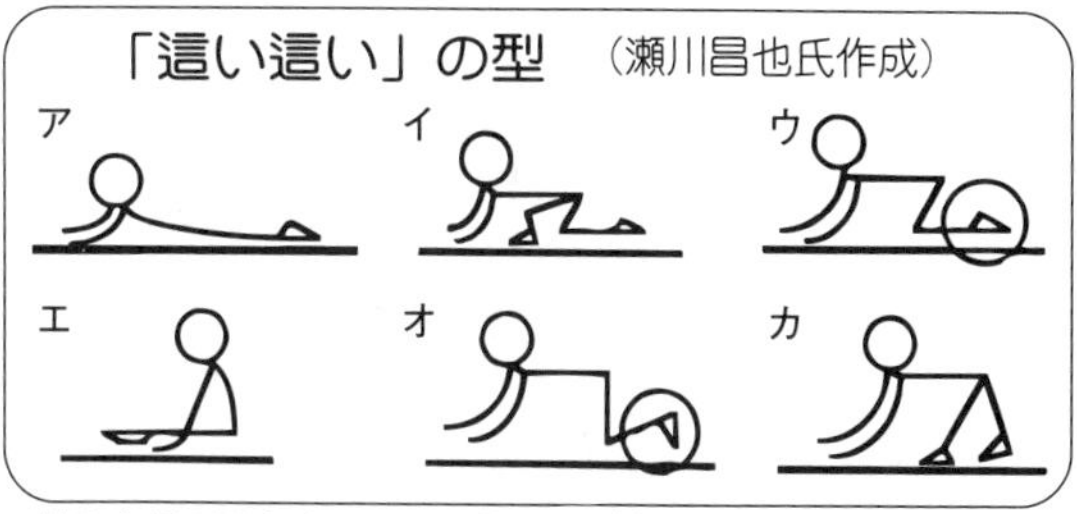

膝から足の甲を床につける這い這い(ウ)が一般的だが、自閉症など先天的な脳障害の乳児は、別の這い這いをする傾向がある。

ところが、マンション暮らしが増えるなど、最近の住宅事情も影響してか、這い這いなしで歩き出す子も多い。実際に這い這いの経験がなくても正常に育っていく子供はいるが、瀬川昌也氏（東京・瀬川小児神経学クリニック院長）は脳の発達に影響を及ぼす可能性を指摘する。

「生後七、八カ月以降は手足を交互に動かして進む四つん這いの這い這いが、脳の機能的発達に重要な役割を持ち、知的活動にかかわる神経系の活性を高めることにもつながっているんです」

這い這いが出現するのは乳児期後半である。四カ月ごろ、赤ちゃんが夜と昼に合わせて寝たり起きたりし始める直後のことだ。昼夜の区別に合った睡眠覚醒《かくせい》リズムは、セロトニン神経によって形成されるが、これは脳幹のアミン系神経系の一つである。

一方、このアミン系神経系が発達して、這い這いができるようになるという。這い這いと脳の関係を探る手がかりになりそうだ。

＊

ヒトは目標に向かって歩いていくが、その際、手足をどう動かすか意識しない。赤ちゃんが母親やおもちゃのある場所へ向かうときの這い這いも同じだ。

だが、こうした動きによって情緒・知的行動の幅が広がると、瀬川氏は考えているのだ。

先天的に情緒と知的発達に遅れのある子供を調べると、乳児期後半に全く這い這いをしないか、正しい這い這いをしない場合が多く、早く発症に気づき、這い這いの訓練をすると、症状が軽くなることがわかっている。

こうした因果関係を探るため、瀬川氏は乳児期に認められる「這い這い」の型を六つに類型化した＝前頁図参照。

膝《ひざ》から足の甲を床につける最も一般的な這い這い「ウ」を、二足歩行につながる手足の協調運動の最初の出現と考えて、これを『正常』と規定した。

そのうえで、先天的な脳の障害である自閉症五十五例、レット症候群三十八例、ダウン症二十二例を対象に這い這いの状況を調べると、一歳以前に這い這いができたのは、自閉症で二十五例（約45％）、レット症候群で四例（約11％）、ダウン症では二例（約9％）だった。

類型別でみると、自閉症やレット症候群ではつま先を床につける「オ」、ダウン症では高這いの「カ」が目立った。正常な這い這いの「ウ」のパターンを取る例は自閉症の約四分の一に過ぎなかったという。

「この調査結果から、これらの疾患では、上下肢（手足）協調運動を発現させるアミン系神経系の機能が障害されているか、その発達が遅れているのではないかと考えられます」と瀬川氏は話す。

＊

瀬川氏は、アミン系神経系は脳の発達に影響を与える時期が決まっており、自閉症やレット症候群、ダウン症は、それぞれ乳児期前半、乳児期後半に臨界齢を迎えるアミン系神経系の障害を表わす実例と考えている。

このことから、それぞれ神経系が、子供の脳機能の正常な発達、情緒、精神および知能の発達にどのような役割を持つかを予想できるという。

瀬川氏は、次のように説明する。

「昼夜に合わせた睡眠覚醒リズムは一般に乳児期前半で形成されるが、このリズムが親子関係、環境順応能力など本能的機能を発現させるのです。これはラットにも見られますが、ヒトではさらに大脳半球の左右機能分化を促して、乳児期後半からの這いにつながっていきます。その乳児期後半に現れる正常な四つん這いは、ヒトのみに見られる行動で、これにかかわるアミン系神経系によってもたらされる高次脳機能も、ヒト特有のものと言えます」

乳児期後半のアミン系神経系の発達によって這い這いが出現し、這い這いによってこの神経系の発達が活性化するという関係だ。

瀬川氏は「這い這いの異常はこれら神経系の異常のサインで、それに気付いたら、正常な這い這いを仕向けてあげることが大切です」と訴える。

赤ちゃんは、ただ、歩けないから這い這いをしているのではない。這い這いをしながら脳を発達させているのだ。

二足歩行……生後一年で獲得する、基本動作の集大成

赤ちゃんは生後一年を迎えるころ、ある日突然、一人で立ち上がり、二足歩行を始める。最初は三、四歩進んでは倒れるが、毎日の〝練習〟によってスムーズに歩けるようになる。

しかし、それ以前の、生まれた直後の赤ちゃんの脇《わき》をもって少しずつ前に動かしてやると、足を交互に踏み出して歩くような運動をする。これは「原始歩行」と呼ばれ、古くから知られている現象だ。

興味深いことに、その後二、三カ月たつと、その原始歩行は消え、今度は独立二足歩行が生後一年ごろに現れる。

歩行などヒトの運動発達について、コンピューターを使って解析・シミュレーションをしている東京大学大学院の多賀厳太郎講師（発達脳科学）は、原始歩行が発達過程で消えることの意味と、成人の歩行との関係に注目した。

そして、「動物実験から、ネコなどと同様に、ヒトの脊髄《せきずい》には歩行のパターンをつくる神経回路が存在すると思われますが、新生児においても、歩行の基本的なリズム

をつくる回路がすでにあるのではないでしょうか」と推論する。

＊

それでは、歩くことも、目の前にある物に手を伸ばす視覚リーチング運動などと同様に、いったん消失して再び現れるU字型現象の動きといえるのだろうか。

一九八〇年代に入り、認知行動学の第一人者であるアメリカのエスター・テーレン博士がそれを解明するために興味深い実験を行っている。

それによると、原始歩行が消失しているとされる生後数カ月の赤ちゃんを〝動く歩道〟のようなベルトの上に乗せてみると、交互に踏み出す足踏みが現れた。下半身を水の中に入れて体を支えてやっても、原始歩行を始めたという。

これらの実験結果からテーレン博士は、原始歩行が消えるという考えには否定的な立場を取った。

多賀氏は「ヒトは運動の基本的パターンを作る回路を生まれながらにして持っており、それを使いながら発達させていきます。テーレン博士は、消えているのは見かけだけで、U字の底の部分では歩行の準備をするためのさまざまな変化が起きていると考えたのではないでしょうか」と説明する。

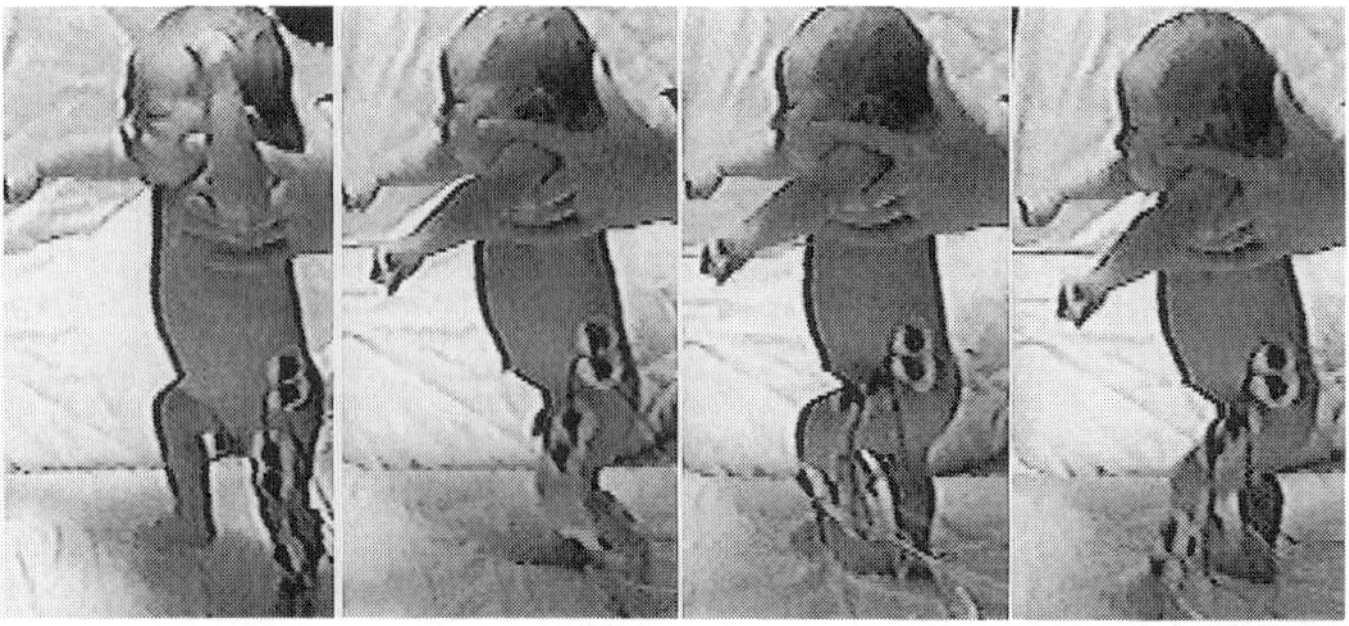

生後まもない赤ちゃんに見られる原始歩行（左から右へ）。多賀厳太郎氏提供。

多賀氏はテーレン博士の研究なども踏まえ、歩行の発達モデルを計算、シミュレーションし、四段階に分けて説明した。

第一段階は生後二、三カ月ごろまでの「原始歩行期」。腰、膝《ひざ》、足首の関節が基本的には同期して動く。姿勢制御の神経系が未発達なため、支えてあげないと心もとない。

第二段階は「姿勢制御発達期」（生後二カ月以降）。姿勢制御の神経系の発達を優先するため、屈筋と伸筋の同時興奮によって姿勢の保持を行う。動くためのリズム生成の神経系は抑制される。これによって立位姿勢の安定性が獲得される。

「二足歩行は立って歩くのですから、まず二本の足で立つ姿勢ができなければなりません。そこで姿勢制御ができるようになるまで、歩くことを少し休む。それがU字の底部分であり、立つための準備期間とも考えられます。この時期に、歩くための神経回路が動き出したら収拾がつかなくなるのです」と、多賀氏は説明する。

つかまり立ちなどはまさにこの時期で、二足歩行の準備をしているのだろう。

＊

第三段階は独立二足歩行の開始。

一歳ごろ、リズム生成、姿勢制御の両神経系が相互作用の調節を行えるようになり、一人で歩くことが可能になる。

そして三歳ごろ、第四段階になって、複雑な筋活動パターンをもつ成人型歩行が完成する。ただ、どの神経、脳のどの部分が機能して歩行を可能にしているかについては、さらなる解明を待つ必要がある。

一方で赤ちゃんは、歩いている人の様子を目で見て知覚することで、歩くことを可能にしているという考え方もある。二十世紀初めに見つかったオオカミに育てられた少女が、二足歩行をするのに苦労したというエピソードが残っているほどだ。だから環境も歩行の発達には大切なのかもしれない。

多賀氏は「いずれにせよ、独立二足歩行は、ヒトが身につける基本動作の最後の技術なのです。体のあちこちが機能し合ってできるもので、生後一年の集大成といえます」と話す。

胎動から二足歩行。受精六週ごろから生後一年まで、ヒトの体はめまぐるしい勢いで発達を遂げているのだ。

（担当・篠田丈晴、岸本佳子）

第七部　知覚も育つ

光が先か、音が先か……生後四カ月で視覚優勢に

光が先か、それとも音を先に感じるのか？　私たちヒトは目と耳を上手に使ってモノを知覚・認識している。果たして赤ちゃんのときからそうなのだろうか。

アメリカ・ロサンゼルス郊外パサデナにあるカリフォルニア工科大学（カルテク）の下條信輔《しもじょうしんすけ》教授がその鍵《かぎ》を握っている。一九八八年に出版された『まなざしの誕生　赤ちゃん学革命』（新曜社）の著者だ。その後、脳科学や遺伝学、神経学などが飛躍的に進歩した。その鍵は今、どちらに回るのだろうか。

「著書から赤ちゃん研究者とよく思われているのですが、乳児関連の論文は全体の一割ぐらい。今は目と耳の感覚をどううまく関連づけてモノを知覚・認識しているのかという赤ちゃんの視聴覚統合をやっていて、大人とどう違うのか興味を持っています」

下條教授は一九九七年に東京大学から移ってきた。実験心理学に基づく脳神経科学

が専門だが、心理学系のないカルテクでは生物学部に籍を置く。四つの実験室を持ち、〝赤ちゃんラボ〟はそのひとつに過ぎない。

全体の研究テーマは「知覚」。特に認知神経科学的立場からヒトの脳のダイナミックで可塑《かそ》的なメカニズムに興味があり、その理解には大人だけでなく、赤ちゃんという発達段階も調べる必要があると強く感じている。つまり、四つのラボを相互に絡《から》み合わせ、赤ちゃん、そしてヒトの脳を知ろうとしているのだ。

＊

赤ちゃんラボでは、クリス・チー・ルイター博士ら三人の女性スタッフとともに視聴覚統合の研究を進めている。これまでに約二百人の赤ちゃんを観察してきた。大人は視覚と聴覚をうまく組み合わせてより効果的にモノを知覚・認識していくが、赤ちゃんはどうなのだろうか。

下條教授は「結論からいうと、最近の私たちの研究から、どうやら一歳を過ぎてからでないと有効な統合はできない。一歳以前と考えてきたのですが……」と説明する。

ラボ内にある実験部屋を見せてもらった。そこは真っ暗な狭い空間で、五カ所あるポイントからいろいろなタイミングで光と音が出てくる。実験を受ける赤ちゃんはその中央に座る。同じ場所から音と光が同時に出ることもあれば、音と光が違う場所から出るようにも操作できる。

私がこの実験を体験してみた。ルイター博士らが設定した、光と音が違う場所から同時に出てくるという複雑な場面にさしかかると、下條教授は「今、あなたは音が出ている場所を見てからすぐに光のほうに目を移しました。両方を見ようとしたわけです。でも、若い月齢だと、光なら光、音なら音だけにしぼって、他は無視しがちです。視聴覚統合できていないからです」と解説した。

＊

下條教授らのこの実験からは、生後二カ月の赤ちゃんでは視覚と聴覚が同じレベルなのに、四カ月以降になると、視覚が優勢で早く反応し、聴覚は遅くなるといった結果が出ている＝左頁グラフ参照。「視覚のほうが聴覚よりも早く大人に近づくというデータを、同じ個体群で実例ごとに跡付けたのはこれが初めてで、米保健衛生局から研究費の予算が下りました」と胸を張る。

赤ちゃんというのは、成長と同時に頭が大きくなっていく。両耳の間の距離が常に変化し、聴覚が不安定であるため、先に目を発達させるという考え方もできるという。

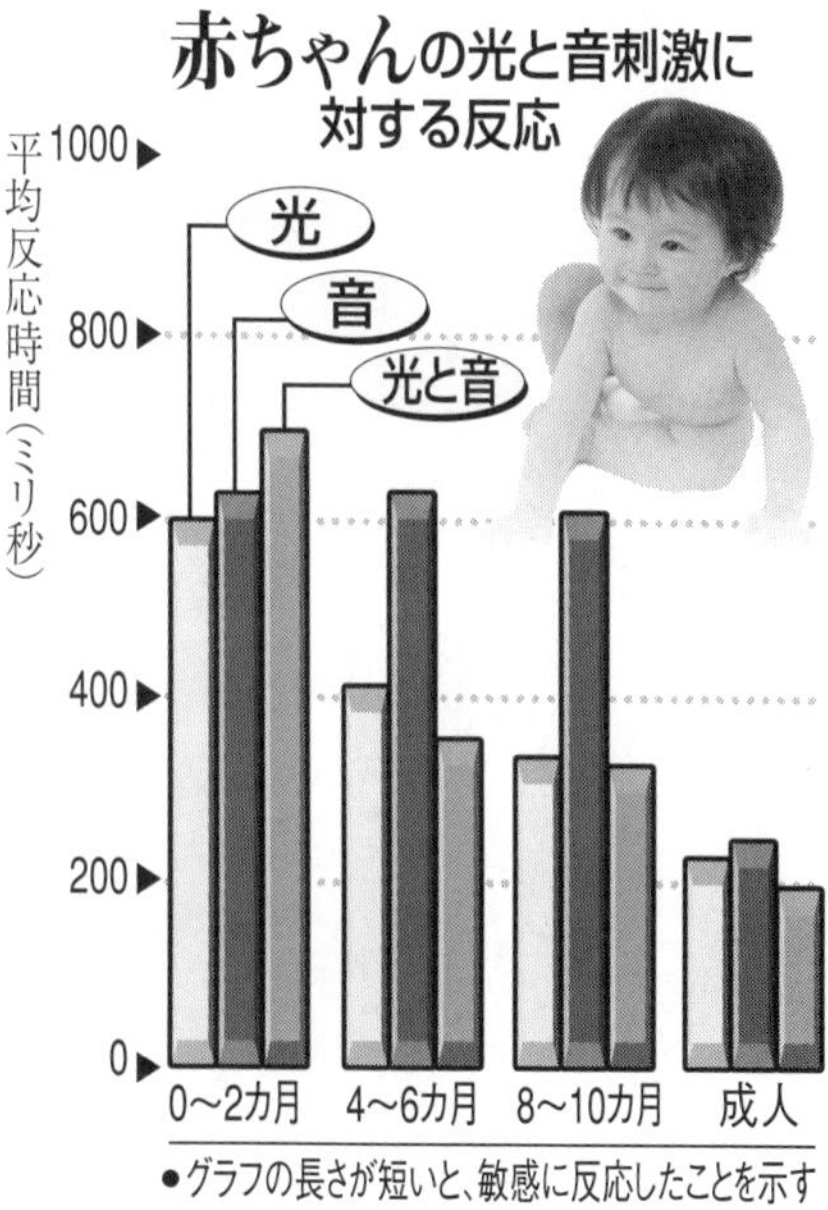

●グラフの長さが短いと、敏感に反応したことを示す

つまり統合する前、目が耳を補っているのだ。下条教授は「四つのラボをフルに駆使し、脳波なども調べ、裏づけをしていきたい」と意気込む。

視覚と聴覚の統合……五～八カ月で脳に〝大変化〟

ヒトは視覚優位の動物とよく言われる。「百聞は一見に如《し》かず」という格言もある。しかし、下條教授は「私たちはヒトが必ずしも視覚優位ではないという証拠をいくつか突き止めていますよ」と話す。

英科学誌「ネイチャー」(二〇〇〇年四〇八号)に報告した大人に対する実験を紹介する。

被験者に、光が点滅するモニター画面を見つめてもらう。その時、同時に音を二回鳴らすと、操作上は一回しか光らせていないのに、光がピカッピカッと二回光って見える。次に、音を消して同じ画面を見せると、今度は一回だけ光って見える、というものだ。

下條教授は「視覚刺激は同じなのに、音の影響を受けて、視覚が変わる。視覚優位だったらそんなことは起きません」。

しかも、脳活動を脳波やｆＭＲＩ（核磁気共鳴画像法）で調べてみると、二回光って見えたとき、視覚皮質の活動にも変化が起きていた。実際には一回しか光っていないのに、脳の視覚野は二回反応したのだ。

「視覚と聴覚が独立に知覚処理をしているのではなく、モノによって、条件によって、視覚中心、あるいは聴覚中心という具合に、より有効に統合する非常に柔軟なメカニズムをもっていることがわかる。近く赤ちゃんでも脳波計測をする予定です」

＊

これはヒトの脳の驚くべき可塑性、柔軟性を示したもので、下條教授は発達過程の赤ちゃんを大人と同じように調べることで、視聴覚統合の仕方や発達時期、それは遺伝子によるものなのか、経験によるものなのかなどを、さらに探ろうとしている。

「私たちは、大人のような効率のよい視聴覚統合は一歳以降と考えているのですが、発達過程の赤ちゃんの脳の可塑性が詳しくわかれば、そのメカニズムが解明されていくと思います」

そう考えると、一歳になる前、大人のようにモノを見聞きする視聴覚統合に備えて、何らかの変化が赤ちゃんの中で起きているにちがいない。

例えば、下條教授が「衝突・通過の知覚」と呼んでいる実験では、生後五カ月と八カ月ではっきりした違いが出た。

モニター画面上を二つの物体が左右対称にX字型の軌道を描いて動く。互いに相手を通過するように動くか、ぶつかり合って反発しているように見えるかを、眼球の追視行動を分析して判断する実験だ。

違いが出たのは、物体が重なったときに音を鳴らした場合。八カ月以上では大人同様に衝突して見えるのに対し、五カ月では通過して見える、と分析された。五カ月やそれ以前では、音の有無に影響を受けないのだ。「この三カ月間に脳で大きな変化があったと考えられる」

＊

第一部で紹介したロンドン大のガーガリー・チブラ博士は、赤ちゃんの脳波を調べて六カ月と八カ月の間に形の認識で大きな差があることを確認している。これも生後何カ月かで脳が大きく変化したことを意味している。

また赤ちゃんには、第六部に紹介したようにU字型現象という、一度消失した行動や認知能力が、より成熟した形で再び現れる発達のパターンがみられる。例えば新生児は、両脇を抱えてやると歩く動作をする。この「原始歩行」はすぐに消え、一歳ごろになって今度は実際に一人で立って歩くようになる。この間、神経系が二足歩行の準備をしているといわれる。

下條教授は「視聴覚の統合にもU字型に似たことが起きている可能性がある。こうした脳神経系の可塑性、柔軟性をしっかり見ていかなければならない」と再認識している。

光への適応……遺伝より環境、経験の効果

一九八八年、下條教授は『まなざしの誕生　赤ちゃん学革命』（新曜社）という初めての著書を出した。当時の世界最新の研究成果を紹介しながら、赤ちゃんがどのようにして周りの世界を見、聞き、理解し、いかにして心を持つに至るかを、子育て中

の両親にもわかるように解き明かした。

「母子間コミュニケーションを中心に、周りの環境、経験などいろいろな相互作用の中から知能が芽生えるという立場を取った、非常に若書きの理想主義的な本。しばらくして脳科学や遺伝子の研究が急速に進み、勇み足だったかなと、後悔したこともありました」

例えば、アルコール中毒になりやすい遺伝子がハエで見つかると、人でもおそらく同じだろうという話が出てくる。以前は社会・家庭環境や性格が複雑に絡み合う社会学の問題などと考えられてきたが、一つの遺伝子でなりやすさが決まってしまうとなると、状況はかなり違ってくる。

赤ちゃん学にも同じことが言えるかもと、下條教授の考えは揺れ動き、書き直しの準備を始めた時期もあった。しかし、一九九七年に東京大学からカルテクに移ったのを機に、『まなざしの誕生』を書いた時期の考え方に再び近づいてきたという。やはり環境や経験が大きな意味を持つと。

＊

なぜ〝振り子〟はまた戻ったのか？　下條教授が在籍するカルテク生物学部には、

遺伝子研究のスペシャリストも多く、その影響を強く受けると思っていた。しかし結果は逆だった。「遺伝子の要因は大きいのですが、具体的にどのような機能として発現するかは、経験や環境の効果による。今の流れはカルテク一派を含め、DNAは決定論的ではないのです」

下條教授はマサチューセッツ工科大学のムリガンカ・スール博士と会い、それを強く意識した。スール博士はイタチの赤ちゃんを使い、視覚の神経回路と聴覚の神経回路をつなぎ換えた研究者。その結果、本来は脳の視覚皮質にしかない視覚性の細胞、遺伝子の発現が聴覚皮質に見られた。

その際、「見る・見た」という経験を決めているのは、脳の視覚皮質が活動しているからなのか、網膜上に光が与えられているからなのかが、問題になる。下條教授は「彼の研究からは、脳のどこが活動するかで感覚経験が決まるのではなく、視覚性の細胞が育っていれば聴覚皮質でも光に反応し、そのうえ動物がそれを見た、と解釈しているることがわかった。脳神経の可塑性、環境への適応性がうかがえる」と説明する。

＊

『まなざしの誕生』の発刊以来、いろいろ揺れ動いたが、下條教授の赤ちゃん研究に対する考え方は原点に戻った。「いずれにせよ、資料が古くなったので、改訂版は出さなければと思っています。脳科学の発達の新しい知見を取り入れつつ、環境や他者との相互作用を通じて、人間の心、知性が出てきているという基本は忘れません」と改訂に意欲を示す。

『まなざしの誕生』の最後で、下條教授はこう書いている。「両親にとっても、研究者にとっても、コミュニケーションの方法を模索することが基本になる。その結果見えてくる赤ちゃんの新しいイメージが、たとえ時代の人間観に変更を迫るようなものであっても、恐れることはない。わたしたちは、むしろ喜んでそれを受けいれるべきだろう」

脳科学、遺伝子研究が急速に発達した今だからこそ、赤ちゃんの心、メンタルな経験を重視した研究姿勢が求められている。下條教授はそれを実践しようとしている。

這《は》い這《は》いの役割……移動経験が視覚認知に影響

「這い這いで自発的に動く経験が、赤ちゃんの視覚認知機能を発達させるうえ、感情の芽生えにも大きな影響を与えています」

アメリカ・サンフランシスコ近郊バークリーにあるカリフォルニア大学バークリー校で、ジョセフ・J・キャンポス教授は、こう言い切る。デンバー大学時代から通算して三十年以上も携わってきた〝赤ちゃん学〟のエキスパートだ。

特に、一九七〇年代のデンバー大時代に始めた「ビジュアル・クリフ」（視覚的断《だん》崖《がい》）と呼ばれる研究は世界的にも知られている。この研究によって、キャンポス教授は、這い這いできる赤ちゃんと、できない赤ちゃんでその反応に大きな違いがあることを突き止めた。

赤ちゃんを、目の前にガラスが張られ、下が透けて見える（崖《がけ》）テーブルに載せる。すると、這い這いのできる子は、向こうに母親がいるにもかかわらず、動かない。一方、這い這いできない子は表情などにも特に変化が見られない。心拍数を測ってみると、前者は急激に増え、後者には変化がなかった。

「心拍数が増えたというのは、崖の下を見て奥行きを知覚し、高いところが怖いと感じたからに違いありません。這い這いに伴う移動経験が視覚的な機能を発達させ、その結果、怖いという感情を芽生えさせたのかもしれません」

＊

キャンポス教授らは、赤ちゃんの認知機能や心の発達と、這い這いなどの自己移動経験の関係をさらに詳しく検討するため、一九九六年から「ムービングルーム」というトンネル状の装置を研究に導入している。

この実験は、ムービングルームの中央のいすに赤ちゃんを座らせ、壁を前後に移動させるというもの。壁が赤ちゃんに向かって動くと、生後八〜九カ月の這い這いのできる子は後ろにのけぞって倒れそうになる。次に壁を後ろに動かすと、前にかがんで姿勢を整えようとする。一方、這い這いのできない子は、壁が前に動こうと、後ろに動こうと、じっとしたまま、目をきょろきょろさせる。

「這い這いの経験がある子は、周りが動いているのに、自分が動いているような錯覚を起こす。視覚から来る情報によって、自分が動いているように感じてしまう。だからバランスを取ろうと姿勢を制御する動きを見せるのです。這い這いをしない子にはそれが見られない」

這い這いすると、体の中で何かが起こっている。キャンポス教授の研究からは、視覚的情報を自分の体のコントロールに使えるようになる、と推測できる。

私もムービングルームに入ったところ、壁が動いたときに思わず後ろに倒れそうになった。「神経系が統合されているからです。這い這いできる八カ月の赤ちゃんは、こうした面ではもう大人なんです」

＊

キャンポス教授は、ビジュアル・クリフの研究を一時期中断していたが、赤ちゃんの発達における自己移動経験の重要性を示したムービングルームの研究成果との関連付けを進めるために再開した。

「這い這いを始めるころ、高さに対する恐怖感が芽生えるなど、這い這いは赤ちゃんに大きな革命を起こします。ムービングルームでは、赤ちゃんは姿勢を保つために、どうしたらいいか頭で考えたりもするでしょう。モノに対する知覚、感じ方も変わってくる。調べたいことはたくさんあります」

動いて学ぶ……障害持つ子の能力を刺激

這い這いして自分で移動することができる赤ちゃんばかりではない。何らかの障害のために這い這いができずに成長する子もいる。ひょっとしたら、そうした子供たちは視覚認知機能の発達や感情の芽生えに遅れが生じるかもしれない。ジョセフ・Ｊ・キャンポス教授は、サンフランシスコ州立大学のデービッド・アンダーソン講師らとともに、そんな子の手助けをしたいという強い思いがある。

キャンポス教授らは、ＰＭＤ（The Powered Mobility Device）と呼ばれる、レバーを引くだけで簡単に動く小さなカート（車）を使って研究を進めている。実験に参加しているのは、這い這いをする前の生後七カ月以前の赤ちゃん。レバーを引けばＰＭＤが動くという操作方法を前もっては教えず、赤ちゃん自身が自分でいじりながら学んでいくように仕向ける、というものだ。

「私たちは、ＰＭＤを自分で動かすことは、這い這いすることと同じような効果があると考えています。つまり、障害で這い這いのできない赤ちゃんもＰＭＤを動かすことで、健常児のように認知機能や心の発達が育つと、期待しているのです」

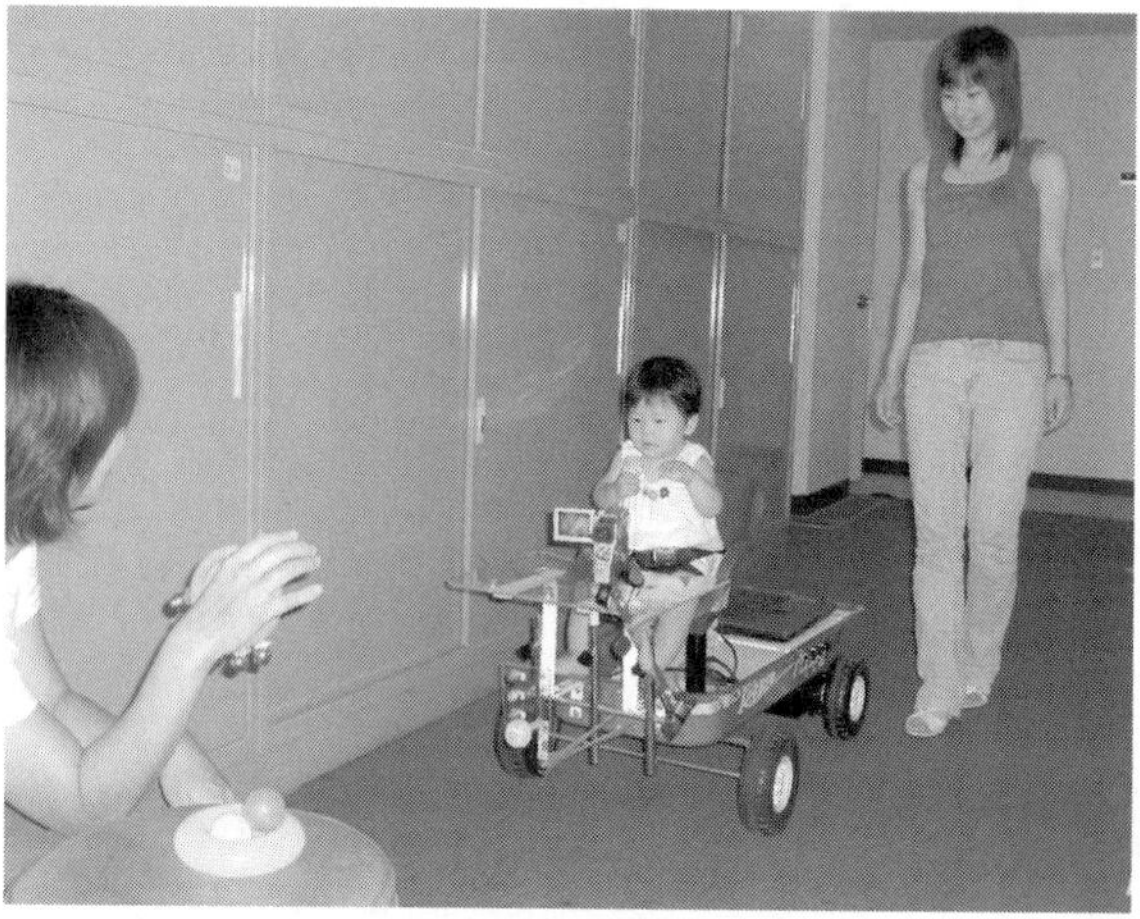

PMD を自分で操作して動かす赤ちゃん。
這い這いと同じ効果があると期待される。
（同志社大学・内山伊知郎研究室提供）

＊

このＰＭＤの研究はまだ始まったばかりだ。キャンポス教授らは、赤ちゃんを「ビジュアル・クリフ」（視覚的断崖）と呼ばれるガラスの台に載せ、奥行きを感じる知覚を観察する研究と、「ムービングルーム」というトンネル状の装置に入れて側壁を動かし、姿勢を制御する能力を調べる研究を進めているが、この二つの研究を組み合わせることで、自発的に動けない障害児へのＰＭＤの効果を調べている。

キャンポス教授の共同研究者である同志社大学文学部の内山伊知郎助教授は「サンプル数は少ないのですが、這い這いする前の赤ちゃんにＰＭＤを三週間体験してもらったところ、ムービングルームの研究で、這い這いできる子とほぼ同じ傾向が出ているから、かなり期待が持てます」と説明する。

これら三つの実験装置を組み合わせながら、赤ちゃんの自己移動経験が知覚と感情の発達に及ぼすさまざまな可能性を探っているわけだ。

＊

ところで、二〇〇六年六月、世界中の赤ちゃん研究者が集う第十五回「国際赤ちゃん学会（ICIS＝International Conference on Infant Studies）」が京都で行われる。欧米以外では初めての開催という。キャンポス教授はこの学会を運営する組織の最高責任者でもある。三十年以上にもわたる長い研究活動が評価されたのだろう。

そうした立場から、キャンポス教授には世界の赤ちゃん研究の現状にも特別な思いがあるようだ。例えば、研究における最も大切な視点について「赤ちゃんへのアプローチの仕方が、神経科学や心理学、人類学など何であろうと、行動科学がすべての基盤なのです。赤ちゃんの発育をしっかり見ることが、脳に障害がある子の対応策にもつながる。あらゆる分野の研究者はそれを忘れるべきでない」と訴える。自身のPMDの研究もそこにスタンスを置いて取り組んでいるにちがいない。

そして、赤ちゃん学の将来像について、こう語った。「赤ちゃん学は、赤ちゃんがどんな大人になるかを予測する学問ではなく、人間としてより複雑なものに成長していく過程を理解するもの。それはそれぞれの時代を反映したものになるのでしょうが……」。

日本初の「国際赤ちゃん学会」からどんな成果が生まれるのか、キャンポス教授の手腕が期待される。

（担当・篠田丈晴）

第八部　最初の試練

アトピー……「アレルギーマーチが来た」と恐れる母親たち

この子もアトピーですか……。横浜市金沢区の主婦は、生後五カ月の二男を「卵アレルギーが原因のアトピー性皮膚炎」と診断され、がっくりと肩を落とした。

長男（九つ）も、生後四カ月でアトピー性皮膚炎を発症した。顔やのどにできた赤い発疹《はっしん》。かきむしり、血でにじんだベッド。幼稚園で他の子供たちからかわれたこと。過剰なまでの食事療法で「もう食べさせるものがない」と悩んだ記憶――。そんな悪夢が一瞬にしてよみがえった。

長男のアトピーはその後、少しずつ改善した。ところが、発疹が消えた三歳ごろ、ぜんそくの症状が出た。そして小学校に入学するころにはアレルギー性鼻炎に。いまでは花粉症の症状もある。

「アレルギーマーチ」。そんな言葉を主婦が知ったのは、長男が小学校に入学したころだった。

「この子も長男と同じ道をたどるのか……」。そう思った瞬間、目の前が真っ暗になったという。

＊

アレルギーマーチとは、アレルギー性の病気が年齢とともに形を変えて次々とマーチ（行進曲）のように発症することをいう。

食物アレルギーでアトピーになり、二〜三歳ごろアトピーがよくなると、ダニアレルギーが出てぜんそくになる。ぜんそくがよくなると、アレルギー性鼻炎や花粉症になる。長男はその典型的な例だ。

アトピーは、アレルギーマーチの最初の症状である場合が多く、赤ちゃんを持つ母親の最大の関心事のひとつになっている。

「確かにそういう傾向があるのは事実ですが、アレルギーマーチという言葉は、誤解を招きやすい非常にいやな言葉です」と、三宅《みやけ》小児科（東京都世田谷区）の三宅健《たけし》院長は、言葉が一人歩きする危険性を指摘する。

アトピー患者だけでも年間延べ一万人以上が訪れるという同小児科のデータでは、二歳までのアトピー患者で卵アレルギーがある子は80％。そのうち、ぜんそくの原因となるダニやほこりアレルギーがある子も80％。幼稚園や小学校で花粉症の子の90％は、ダニやほこりアレルギーもあるという。

「卵アレルギーの子がぜんそくになる確率は高いが、ダニアレルギー＝ぜんそく、ではありません。ぜんそくになるのはダニアレルギーを持った子供の一部だけです。アレルギー体質やその強さは、それぞれ違うのです。『食物』『ダニ』『スギ花粉』の三つのアレルギーを比べると、食物アレルギーが最も強い。つまり、小さいころアトピーがある子はアレルギー体質が強いんです。だからダニアレルギーでぜんそくが出る可能性が高くなります」と三宅院長は説明する。

しかし、〝絶対〟ではないとはいえ、可能性が高いのならどう対処すればいいのだろうか。

「赤ちゃんのアトピーはほとんどが食物アレルギーです。専門医で検査をして、アレルゲン（アレルギーの原因）を特定し、早期に除去食療法を行えば改善できます」

だが、それ以上となると、「掃除をして、ほこりやダニを少なくすることぐらいしかありません」と言う。

三宅院長はさらにつづける。

「卵アレルギーの人に卵を除去することはできます。しかし、掃除をしても、ほこりやダニはゼロにならない。スギ花粉の季節に外出しないのも現実的ではありません。予防は不可能だが、そんなに悲観する必要はないでしょう」

　三宅院長によると、赤ちゃん百人のうちアトピーになる可能性があるのは二十～三十人。発症は生後六カ月までがほとんどで、一部は一歳までに症状が改善され、八割は小学校に入学するまでに症状が出なくなるという。

「アトピーは裾野《すその》は広いが、重症なのはごく一部。大人までアトピーを引きずる人も少数はいますが、多くの場合は過剰な心配は逆効果です。『食べ物が怖い、ほこりが怖い。花粉が怖い』とあまり神経質になりすぎると、だんだん疲れて前向きにアレルギーを克服しようという気持ちがなえてしまいます。中には『いつまでもやってられるか』と〝逆ギレ〟して、何もかもほっぽりだしてしまう人もいるんです」

　三宅院長は「将来起こるかどうか分からないことを心配するより、体を清潔にする、掃除をするなど、今できることをしてほしいですね」と話している。

新しいアレルゲン……卵・牛乳・大豆に加えて、ゴマ・米・小麦も要注意

「赤ちゃんのアトピーは、ほとんどが食物アレルギーで、三大アレルゲンは卵、牛乳、大豆です」

これは小児科医だけでなく、アトピーの子を持つ母親の間でも〝常識〟だ。ところが、この常識は崩れつつある。

千葉県松戸市の公務員の女性は、一歳二カ月の長女の顔や体に時々赤い発疹《はっしん》が出ることに気づいた。アトピーと思った女性は、小児科で血液検査を行った。だが、結果は三大アレルゲンすべてに陰性だった。

「娘さんのアトピーは食物が原因ではありません」

きっぱりと言い切る医師。だが、原因は分からない。

女性は長女を昼間預けている実家の両親と協力し、長女の一日の生活を事細かに記録した。何を食べたか。市販品の場合、その食材や含有物、メーカーはどこか。食べ物以外にもどんな素材の服を着て、何を触って、何をなめたか——など徹底的に洗い出した。

その結果、あることに気づいた。ゴマを食べてしばらくすると、赤い発疹が出て痒《かゆ》がるのだ。「ゴマでアトピー？　まさか、そんなこと……」。そう思っていたところ、育児仲間からゴマアレルギーが存在することを聞いて驚いた。

＊

三宅小児科の三宅院長は「ゴマは近年、健康食品として注目され、離乳食にも多く使われています。さらに、アレルゲンの除去食療法の代用食品として積極的に使われる傾向があり要注意です」と、乳幼児の〝ゴマブーム〟に警鐘を鳴らす。

離乳食の本や離乳食売り場を見ると、ホウレンソウのゴマあえ、ゴマ入りふりかけ、ゴマクッキー、ゴマせんべい……。あるわあるわ、おかゆやおにぎりにもゴマをかけ、「なんでこんなにゴマを使うの？」と驚かされる。

三宅小児科では、二〇〇〇年二月から三カ月間に、アトピー性皮膚炎の乳幼児でアレルギー検査を希望した百二十六人を対象に調査を実施した。

年齢構成は▽六カ月未満十一人　▽六カ月〜一歳二十四人　▽一歳〜一歳六カ月二十五人　▽一歳六カ月〜二歳十三人　▽二歳十四人　▽三歳以上三十九人。

六カ月未満ではゴマアレルギーはいなかったが、六カ月から一歳では20・8％にゴマアレルギーがあった。これは卵白に次いで二番目に多い＝左頁グラフ左参照。さらに一歳から一歳六カ月では実に44％にゴマアレルギーがあった＝左頁グラフ右参照。

なぜ、六カ月を過ぎるとゴマアレルギーが出るのか。

三宅院長は「六カ月未満にゴマアレルギーがないのは、ゴマの感作が卵や牛乳より少し遅れることを示しています。一歳未満でゴマの陽性率が高いのは、離乳食でゴマを与える頻度が高いためでしょう」と説明する。

これまでアトピーの要因としてゴマが注目されなかったのは、ゴマはアレルギーを起こさないという先入観や、摂取しても少量であること、ゴマだけを食べることはないため症状を把握しにくかったことなどが考えられるという。

＊

さらに困ったことに、増えているアレルゲンはゴマだけではないのだ。

三大アレルゲンに米と小麦を加え、近年は五大アレルゲンとも呼ばれるが、これまで米と小麦は大人のアトピーの原因と考えられていた。しかし、三宅院長は近年、乳幼児に小麦アレルギーが増加し、低年齢化が進行していることを危惧《きぐ》する。

「今のお母さんたちはパンやパスタ、ケーキ、クッキーなど、小麦を多く食べて育っ

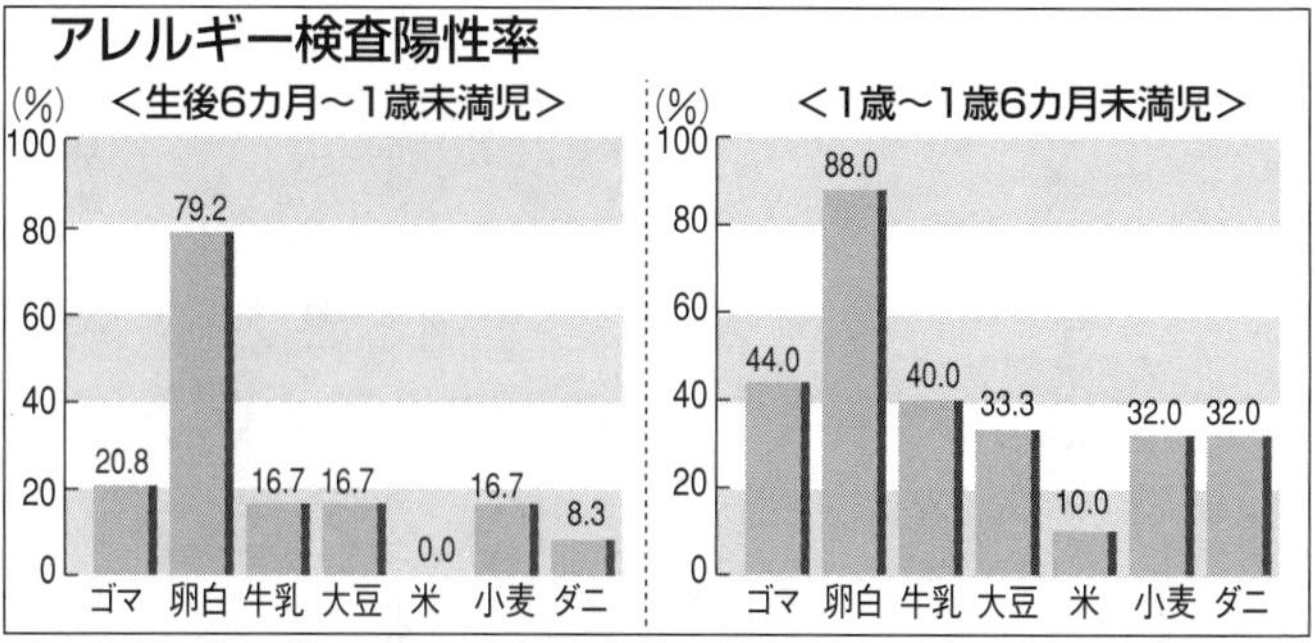

1歳を過ぎると、ゴマ・小麦・米アレルギーの乳児が急に増える。
(三宅小児科提供)

た世代です。離乳食にもこれらが多用され、小麦アレルギーを早期化させる大きな理由になっています」

日本人の食生活は高度経済成長に伴い、急速に欧米化した。卵、牛乳、パンなど、かつてあまり口にしなかった食品も常食になった。これらの食品は日本人の体格の向上や栄養状態の改善に貢献した半面、アトピーなど食物性アレルギーを増やす要因にもなった。

三宅院長は「子供のアトピーが増えたのは日本人の体質が変化したからではありません。日本人はもともと、多くの人がアトピーの素因やアレルギー体質を持っていたのです。それが、環境の変化や食生活の変化で顕在化したと考えられます」と指摘している。

早すぎる離乳食……一歳前後までは母乳だけでも大丈夫

「赤ちゃんのアトピーは離乳食が原因のようです。三カ月で離乳食はまだ早すぎです」

大阪府堺市の主婦は、医師に生後三カ月の長男をそう診断され、頭を抱えたという。長男は二五一〇グラムで誕生した。

「やや小さめですが、元気な赤ちゃんです」という医師の言葉に対しても、身長一八〇センチ、体重一〇〇キロの体格を自慢する夫は「この子は小さい。早く大きくしなければ」と張り切ってしまった。

夫は母乳で十分なのに人工乳（粉ミルク）も与えた。一カ月から果汁や野菜スープを飲ませ、二カ月後半からは離乳食を始めた。その結果、体重は増加し、三カ月で約六〇〇〇グラムと順調に成長した。しかし、全身に発疹《はっしん》が出てしまったのだ。

＊

「早すぎる離乳食がアトピーの原因」と指摘する医師は多い。だが、栄養不足で発育が遅れるのは怖い。

売り場には二、三カ月用の離乳準備食や四カ月用のベビーフードがずらりと並ぶ。育児書や小児科医、自治体の三、四カ月健診での指導も、ばらばらなのが現状だ。

「あら、お宅はまだなの？」。そんなやりとりに頭を悩ませてしまう新米ママが多いという。

母子健康手帳では「生後五カ月ごろから離乳が始められる」「早くても四カ月以降、遅れた場合は六カ月中に開始することが望ましい」と記載されている。

これに対し、日本免疫《めんえき》病治療研究会の西原克成会長は、「一歳前後までは母乳だけで育て、離乳食は与えない方がいいですね」とこれを否定する。

「人間の腸は一歳から二歳で完成するまで、母乳中のタンパク質の栄養分以外は完全に消化できません。未完成の腸はミルクや離乳食を消化せず吸収するため、異種タンパク質が血液に入り、アレルギーの原因となるのです」

「五カ月ごろ」という指針ができたのは、一九五八年に旧文部省が行った「日本の離乳」調査と「離乳基本案」作成に基づく。

当時の離乳開始の平均は七・二カ月。欧米の赤ちゃんに負けないようにと、国は人工乳を与えることを促進し、離乳の開始と完了の早期化を目指した。乳児死亡率が他の先進国より高かったこともあり、当時の実態より二カ月早めの「五カ月」になったという。

聖マリアンナ医科大学横浜市西部病院周産期センター長の堀内勁教授は「母乳の場合、極端にいえば一歳まで離乳食を与えなくても影響はないが、現在は赤ちゃんの栄養状態や発育もよいので、無理して離乳食をやめる必要もありません」と話す。

開始の時期は違うが、西原会長も堀内教授も離乳食を急ぐ風潮には批判的だ。

堀内教授は「日本の小児栄養は〝前倒し〟が良いとされ、二カ月で果汁、三カ月で野菜スープ、四カ月でおもゆ、五カ月で離乳食という考え方が広まりました。食品業界やそれをスポンサーとする育児雑誌も、離乳食の早期化を後押ししているようです」と批判する。

一方で、早期化に歯止めをかける動きもある。

二〇〇二年四月、国の指針である母子健康手帳から「断乳」の文字がなくなり、「離乳完了」の項目が一歳から一歳六カ月の欄に移された。

堀内教授は「母乳育児をもっと長く続け、離乳食も急ぐ必要がないという考えが広がってきたため」と歓迎している。

では、離乳食はいつから始めればいいのか。

堀内教授は「赤ちゃんは六カ月ごろから、両親が食べるのを見てよだれをたらしたり、食べたそうな表情をします。そういう行動をしたら始めればいいのです。しかし、個人差がありますから、あまりこだわることはないでしょう」と話す。

早期の離乳食とともに堀内教授が懸念《けねん》するのが、離乳準備食として果汁を飲ませる習慣だ。

「赤ちゃんは四、五カ月ごろ、血液のヘモグロビンがFという胎児型からAという成人型になります。このとき鉄分が多く必要になるのです。昔の人工乳は、鉄分やその吸収に必要なビタミンCを含んでいなかったため、かつては果汁を与える意味がありました。けれども、現在の人工乳はビタミンCも添加されています。もともと母乳の場合は鉄分の吸収がよく、ビタミンCの補充は必要がなかったのです。だから、今では果汁を与える意味はまったくなくなりました」

果汁を与えることは意味がないばかりでなく、赤ちゃんに害を与えることにもなりかねないのだ。

アメリカ小児科学会は二〇〇一年、「母乳栄養児には六カ月前には果汁は、決して与えてはならない」と禁止を勧告した。

堀内教授は「果汁の糖分は11％と高い。人間の小腸は2％の糖分を含んだ食べ物の吸収が最もよく、それ以上の糖分は大腸に運ばれ、細菌で発酵してガスを発生したり、下痢の原因にもなるのです」と説明する。

果汁はアレルギーやさまざまな病気の誘因となる可能性があるのだ。さらに勧告では、甘い果汁を与えることで母乳や人工乳を飲まなくなり、栄養不足になる危険性も指摘している。

胎内感作……母親の食物アレルギーは赤ちゃんにも影響するのか

「何とかこの子をアトピーにしない方法はないものか」

千葉市稲毛区の会社員男性は、そうつぶやきながら妊娠六カ月の妻のおなかをそっとなでた。

男性は子供のころ、医師に「卵アレルギー」と言われて以来、小児ぜんそくや花粉症など、アレルギー性の病気を次々と発症した。妻も幼児期にアトピーがあった。長女（二つ）も現在、アトピーで皮膚科に通院している。

「遺伝だから仕方がない」と男性はあきらめようとした。だが、おなかの子供だけでもつらい思いはさせたくない。男性は、必死の思いで毎晩遅くまでパソコンに向かい、インターネットで予防法を検索している。

＊

アトピーやぜんそくなど、アレルギー性の病気の増加で、治療だけでなく予防に関心を持つ人が増えてきた。

近年、母親の食事が赤ちゃんのアトピーに影響することが知られるようになり、食事への関心も高い。だが、母親の食事はいつから赤ちゃんへ影響するのか。授乳を始めると影響するのか。すでに胎児のうちからなのか。そんな疑問で頭を悩ませる母親は多い。

国立成育医療センター周産期診療部の北川道弘産科医長は「母親の食べたものが胎盤を経て胎児のアレルゲンとなる『胎内感作』は、強くはないけれども可能性はあります」と指摘する。

一般に赤ちゃんがアレルギー疾患を発症する確率は約20％。だが、両親とも同一のアレルギー疾患がある場合は66％に高まるという。北川医長は「遺伝性の素因はいかんともしがたいが、それをできるだけそっとしておくことで、アトピーを軽くしたり、発症させない可能性があるのです」と指摘する。

アトピーは、食物などが体内に入り、アレルギー反応の主体であるＩｇＥ（免疫《めんえき》グロブリンの一つ）をつくり発症する。「胎児は三十〜三十二週ごろからIgEを作る可能性があり、このころから母親がアレルゲンとなる食品を控えれば発症率は低くなる」と話す。

胎内感作については否定的な見解が多いが、北川医長らは妊娠中期から授乳期にかけて、母親に牛乳の代わりに母体用の低アレルギーミルクを与え、赤ちゃんにも母乳の不足分として低アレルギーミルクを与えてみることにした。

検査は、分娩《ぶんべん》時の臍帯血《さいたいけつ》と生後四カ月目の静脈血のIgEを測定し、アレルギーの発症を調べた。その結果、何もしなかった場合と比べ、IgEは大きく低下した。赤ちゃんのアトピー性皮膚炎の発症率も低下した。

では、妊婦は食生活にどんな注意をすればいいのか。

北川医長は「妊娠初期の食事制限は効果がありません。しかし三十週を過ぎたら、卵や牛乳を過食しないことです。卵を食べる場合はよく火を通す。牛乳が心配なら、低アレルギーミルクを飲みましょう。ただ、卵や牛乳はタンパク質やカルシウム、鉄分が豊富なので、必要以上に制限すると栄養バランスを崩す恐れがあります。あまり神経質にならなくていいんです」とアドバイスする。

赤ちゃんを出産したあとは、どうすればいいのか。

「母乳によるアトピー（母乳感作）の可能性はありますが、母乳にはさまざまな免疫物質や感染防御因子が含まれていて、メリットが大きいのです。授乳中は母親がアレルゲンとなる食物の摂取を減らしたり、除去すれば、母乳感作の可能性は低くなります。人工乳の場合は心配なら、低アレルギーミルクを用いればいいでしょう」と話す。また、離乳食の開始は六カ月以降が望ましく、卵などアレルゲンとなりやすい食品は一歳を過ぎてから与えた方がよいという。

北川医長は「これで完全に予防できるわけではありませんが、現在、こんなにアトピーが多い状況では、家族にアレルギー歴がある場合、やらないよりやったほうがいいですね」と、予防の重要性を強調する。

妊娠中に赤ちゃんのアトピーを予防する方法については、産科医の経験に基づく面が大きく、明確なデータはほとんどないという。

北川医長らの研究も、その後の追跡調査は行っていない。

「アトピーはこれまで小児科や内科の疾患として考えられ、アレルギー予防に取り組んできた産婦人科医はほとんどいないのです。小児科との連携もなく、妊婦に除去食を行い、出産時と半年後の状態がよくても、その後どうなったのか分からないのが実情です」と北川医長は残念がる。

しかし、新しい動きも始まっている。

国立成育医療センターでは、産科、小児科、アレルギー科が連携して赤ちゃんの腸内細菌の変化を調べ、アレルギーとの関係についての研究を始めた。胎児期から小児期まで継続してのアレルギーについての研究は外国でも例がなく、アトピーのメカニズムの解明や予防につながると期待されている。

乳幼児突然死症候群……三つの危険因子を取り除くことで死亡は半減

あなたの隣ですやすや眠っている赤ちゃん。その赤ちゃんがもし、二度と目を覚まさなかったら……。両親や家族にとって、これ以上の悲しみはない。

元気な赤ちゃんが事故や窒息ではなく、眠っている間に突然亡《な》くなってしまう、「乳幼児突然死症候群（ＳＩＤＳ＝Sudden Infant Death Syndrome)」への社会的関心が高まっている。

厚生労働省はＳＩＤＳを「それまでの健康状態および既往歴から、その死亡が予測できず、しかも死亡状況および剖検（解剖）によってもその原因が不詳である、乳幼児に突然の死をもたらした症候群」と定義する。つまり、健康な赤ちゃんのすべてが、SIDSで亡くなる可能性があるのだ。

東京女子医科大学母子総合医療センター長で、旧厚生省のSIDS研究班長を務めた仁志田博司《にしだひろし》教授は「SIDSが問題なのは、元気な赤ちゃんが生活の場で突然亡くなるため、家族のショックが大きいことです。さらにその悲しみに、周囲が二重、三重の追い打ちをかけることがあります。社会的なインパクトが大きいだけに、赤ちゃんを持つ両親や家族だけでなく、社会全体がSIDSへの正しい知識を持つことが必要です」と指摘する。

赤ちゃんを亡くし、悲しむ母親に、周囲が「あんなに元気だったのに、急に亡くなったのは母親の過失だ」と、白い目を向ける。警察官が「保険はかけていたのか？子供をどう扱っていたのか？」と、まるで犯罪者の取り調べのような言葉を浴びせる。医師も「死因が分からない突然死は解剖しなければだめだ」と冷酷な言葉を口にする——。

これらはすべて、SIDSで赤ちゃんを亡くした家族が実際に体験したことだ。さらに、保育所などで亡くなった場合、SIDSか虐待《ぎゃくたい》・事故死かをめぐり、裁判になるケースも増えている。

　ＳＩＤＳは、欧米ではかつて赤ちゃんの死亡原因として最も多かったため、社会の関心も高い。

　一方、日本では欧米より発生例が少なかったため存在自体があまり知られていなかった。旧厚生省は一九八一年にＳＩＤＳの研究班を設置。一九九九年からは十一月を「ＳＩＤＳ対策月間」として防止キャンペーンを実施した。「うつぶせ寝をやめる」「できるだけ母乳で育てる」「タバコをやめる」と、ＳＩＤＳの三つの危険因子を取り除くことをＰＲした。

　その結果、ＳＩＤＳの発生率（出生千人中一歳未満での死亡者）は、ピークだった一九九五年の０・44から、二〇〇一年には０・24とほぼ半減した。日本より十年ほど早くＳＩＤＳ防止に取り組んだ欧米では、アメリカは一九九〇年の１・30から九七年には０・77へ、イギリス（イングランド、ウエールズ）は八〇年の１・56から九七年の０・57へと、大幅に減らすことに成功している。

　仁志田教授は「日本や欧米が取り組んだ三つのことは、どれも特別なものではありません。普通の子育て環境において、少し気をつけるだけでＳＩＤＳの発生は大幅に低下させることができるのです」と話す。

ＳＩＤＳの発生率は、もともと日本では低く、欧米で高いのはなぜか。

仁志田教授は「これは人種的なものではなく、子育て環境の差でしょう。私自身、二人の子をアメリカで西洋式に育てたが、今考えるとぞっとします」と振り返る。

西洋式の育児は、乳幼児のうちから自立心や独立心を養うことを目的に、ミルクを与え、おむつを替えると、子供部屋でベッドに寝かせ、ドアを閉めてしまう。これでは赤ちゃんに異常があっても気づかない。しかも、うつぶせで寝かせることが多い。

仁志田教授は「赤ちゃんは大人の目の届くところで一緒にいるのが一番です。かつて日本は住宅事情の問題もあり、親子が川の字に寝ていました。だから、赤ちゃんに何かあったらすぐに気づきました。今でも、少なくとも生後半年から一年ぐらいは、同じ部屋で親と子が一緒に寝るのが望ましいですね」と話す。

ＳＩＤＳの発症は確実に減少している。だが、なぜ発生のメカニズムは不明なのだろうか。

「ＳＩＤＳが、定義の中で『原因不明』とされているのは残念です。実は、原因は99％解明されているのです。私は、ＳＩＤＳは赤ちゃんが眠っているうちに無呼吸となり、覚醒《かくせい》反応（目が覚める反応）が遅れるため死亡してしまうと確信しています」と仁志田教授は話す。

　ではなぜ、覚醒反応の遅れに「うつぶせ寝」「母乳」「タバコ」が関係するというのか。

乳幼児突然死症候群の原因……「うつぶせ寝」は赤ちゃんの覚醒を遅れがちにする

　仁志田博司教授は「ＳＩＤＳは眠っているうちに無呼吸となり、覚醒反応が遅れることが原因で死亡します。ベルギーの研究グループが、同じ赤ちゃんをあおむけとうつぶせで、音を聞かせたり顔に空気を当てたりして覚醒の反応を比べた実験があります。すると、うつぶせ寝の方が反応が遅い。つまり、うつぶせ寝の方が覚醒反応が遅れるのです。これがＳＩＤＳの原因とほぼ特定され、世界中の研究者が追試しています」と説明する。

　母乳は、人工乳（粉ミルク）と比べ、さまざまな免疫《めんえき》物質が含まれる、母親との接触が多い、あごの発育がよい、栄養が優れている——などのメリットがあげられる。

タバコは、脳に影響して覚醒反応を遅らせることが動物実験で分かっている。母親が吸うことはもちろん、副流煙も同じだ。国内の妊婦の10％が喫煙者という最近のデータもあり、SIDSだけでなく胎児の発育の面からも大きな問題となっている。

だが、最大の原因である「うつぶせ寝」でなぜ覚醒反応が遅れるのかについては、学会でも侃々諤々《かんかんがくがく》の状態という。

仁志田教授は「赤ちゃんは生後四カ月までは寝返りもできないんです。這《は》うのは半年、歩くのは一年かかる。けれども人間の赤ちゃんは頭（脳）が発達したので、物理的に早く出生するため、生物学的にも生理学的にも早産になりました。そのために呼吸が完全に確立するまで、時間がかかるのは当然なのです」と、哺乳《ほにゅう》動物としての赤ちゃんの未熟性に注目する。

教授の言葉を証明するように、SIDSは八割が生後六カ月までに発生し、その後は急激に減る。これは、赤ちゃんの呼吸器や消化器などが一定の発達を遂げる段階とほぼ一致する。

SIDS発生は確実に減っているが、ゼロにできるのか。

仁志田教授は「SIDSは『うつぶせ寝』など原因リスクを取り除くことで、大幅に少なくなり、現在の発生率（出生千人中一歳未満での死亡者）は0・24に下がりました。ゼロにするのは難しいが、0・1は不可能ではないのです。そのためには一般の人にいかに知識を普及させるかがカギとなります」と話す。

SIDSの防止目的の器具として、赤ちゃんが無呼吸状態になったことをアラームで知らせるホームモニタリング機がある。

「機器による無呼吸の早期発見は、理屈では有効だがマイナス面もあります。機器を使うことで安心して、赤ちゃんを一人にしたり、電池切れなど正しく使われない可能性もあるからです」と仁志田教授は指摘する。

アメリカでは、ホームモニタリング機を通信販売やスーパーなどで簡単に購入できる。だが、アメリカ小児科学会はその有効性より危険性に考慮し、医師が必要とした以外は使用を勧めていない。

しかし、一人目の子供をSIDSで亡《な》くした母親にとっては、不安を取り除く効果はある。医師の指示を受けて正しい使い方を知り、SIDSの十分な知識と、呼吸停止時の蘇生《そせい》法を学んだうえで使用することが望ましいという。

＊

もう一つの課題に、家族の心のケアの問題がある。

わが子を突然亡くした悲しみは簡単には癒《い》やされない。現在、国内では「ＳＩＤＳ家族の会」が家族の精神的な支えとなっているが、今後は国や自治体などの支援も求められている。

一方でＳＩＤＳは、新たな社会問題にもなっている。

ＳＩＤＳが「原因不明」とされることから、虐待《ぎゃくたい》の隠れみのになる可能性を指摘する声もある。「ＳＩＤＳは幻想だ。突然死はすべて窒息死か虐待死だ」と言い放つ法医学者もいる。

ＳＩＤＳの撲滅に力を注ぐ医師と、存在さえ認めない医師がいるのが現状だ。医学界の足並みもそろっていない。すべての赤ちゃんが健やかに育つよう、さらに研究が進み、社会も関心を持つことが求められる。

そうした状況の中、新しい動きもあった。

「小児の覚醒反応に関する国際シンポジウム」が二〇〇二年十月、東京で開催された。カナダ、アメリカなど九カ国から医師や研究者約百人が参加した。まだ国際的な定義がない乳幼児の目覚めや反応の計り方などについて論議された。赤ちゃんの覚醒反応に関するシンポジウムは世界初で、ＳＩＤＳの解明につながると期待されている。

揺さぶられっ子症候群……あやすつもりが、思わぬ事故につながることも

赤ちゃんをあやそうと「高い高い」をしたり、泣き止《や》ませようと揺さぶったり……。こんなことが原因で、脳内出血で死亡したり脳性麻痺《まひ》などの後遺症をもたらす「揺さぶられっ子症候群（Shaken Baby Syndrome）」が注目を集めている。

同症候群は一九七二年、アメリカで初めて報告された。国内では都立墨東病院小児科の伊藤昌弘《まさひろ》医長が一九九〇年、小児神経学会関東地方会で初めて症例を報告した。当時はまだ日本語の名前はなかった。伊藤医長が「揺さぶられっ子症候群」と名付け、一九九七年の小児科学会で発表したことでようやく知られるようになった。

では、揺さぶられっ子症候群とはどんなものか。

一九九〇年四月、五カ月の女児が運ばれてきた。眼底出血と激しい痙攣《けいれん》があり、呼吸も不規則。頭部ＣＴ（コンピューター断層撮影）で硬膜下出血と脳浮腫《のうふしゅ》が確認された。女児は入院四十二日目に死亡。テレビを見ながらビールを飲んでいた父親が、女児が

激しく泣いたため、頭部を持って二秒間に五〜六回揺さぶったことが原因だった。

一九九四年七月、二カ月の男児が痙攣を起こし、運ばれてきた。眼底出血があり、大泉門（乳児の頭部の穴）が膨らんでいた。男児は十七日目に退院したが、全身麻痺や視力障害が残った。母親の外出中に赤ちゃんをあやそうと、父親が十数秒間に五〜六回、体全体を激しく揺さぶったことが原因だった。

二つは伊藤医長が診た典型的な症例だ。なぜ、揺さぶるとそうなるのか。

「赤ちゃんの脳は、パックに入った焼き豆腐のようなものです。頭蓋骨《ずがいこつ》と脳のすき間が大人より広く、パックに豆腐が半分入っている状態に近い。強く揺さぶると崩れやすいのです」と伊藤医長は説明する。

赤ちゃんの頭は相対的に重く、加重がかかりやすいうえ、首の筋肉が弱いことも、強く揺さぶられやすい原因となる。

では、強い揺さぶりとはどの程度なのか。

伊藤医長は「まだ首がすわらない赤ちゃんを高くほうり投げたり、排気（げっぷ）させようと、鼻血が出るほどたたいたりする非常識な親がいるんです。そういう常識外でなければ、あまり神経質にならなくていいです」と話す。

だが、やっかいなのは無意識の〝虐待《ぎゃくたい》〟だ。

これまでの症例は、泣き止まない赤ちゃんについカッとなり、強く揺さぶったケースがほとんどという。

伊藤医長は「悪意はなく虐待という意識はない。強く揺さぶったことも覚えておらず、原因が分かりにくい。おまけに外傷もないんです」と診断の難しさを指摘する。

核家族化や少子化で、育児に不慣れな親が増えており、一人で長時間赤ちゃんの相手をしなければならないなど、子育てにストレスはつきものだ。「赤ちゃんは揺さぶっても死ぬことがある」という認識を持ち、なるべくストレスをためないことが大切だろう。

「子育てに関して誰かに相談したり、気軽にあずけたりできる環境が大切です。地域や自治体もそうした環境づくりに取り組むべきです」と伊藤医長は指摘する。

＊

揺さぶられっ子症候群は自動車の中でも起こる可能性があると、対応に乗り出した企業がある。

育児用品大手の「アップリカ葛西」（大阪市中央区）の下牧真専務は「国のチャイルドシートの基準には欠陥があります。罪悪に近い」と激しく非難する。

国土交通省の基準では、月齢や首のすわりなど発育状況に関係なく、体重一〇キロ未満の赤ちゃんの場合、「乳児用ベッドと後ろ向き幼児用シートに使用できる」と定めている。

下牧専務は「首がすわる前の赤ちゃんをシートに座らせると、急ブレーキや衝突によって、首に大きな衝撃が伝わり、揺さぶられっ子症候群と同じ状態になります。国の実験は正面衝突しか想定していませんが、追突の場合は、首がガクンと前に倒れ、さらに危険なのです。ですから生後六カ月ごろまでは、寝かせられるベッドを使うべきです」と強調する。

同社は、進行方向に対して横向きに設置して、平らなベッドとして使用し、発育に応じてシートに変化させることができる商品を開発し、販売している。

同社は二〇〇一年五月、世界で初めて、自動車事故を想定した新生児の精巧なダミー人形（体重二五〇〇グラム）を一億円かけて開発した。特殊ウレタン樹脂製で新生児と同様、首は柔らかく背骨、骨盤もあり、数カ所にセンサーが埋め込まれている。奈良県の研究施設で衝突実験などに使用されているという。

データは交通事故のほか、揺さぶられっ子症候群のメカニズム解明にも役立つため、世界中の研究者が共同研究を行ったり、施設を訪れるなど、熱い関心を寄せている。

誤った水分補給……赤ちゃんには母乳・人工乳・水以外は要らない

体によさそうで、見た目もおしゃれなことから、ミネラルウオーターやイオン飲料（スポーツドリンク）を飲む人が増えている。

最近は湯冷まし代わりに赤ちゃんにイオン飲料を与える親もいるが、福岡大学筑紫《ちくし》病院教授の津留徳《のぼる》・小児科部長は「赤ちゃんへの誤った水分補給は深刻な事態を起こしかねません」と警告する。

「乳児がスポーツドリンクを大量に飲むと、細胞の中に水分が移行し、水中毒になることがあります。頭痛や嘔吐《おうと》が出て、ひどい場合には昏睡《こんすい》状態になることもあるのです」

問題はそれだけではない。

乳児は甘い味が好きなので、日常的にイオン飲料を与えると、母乳や人工乳をあまり飲まなくなる。幼児期になり、習慣になると水分でおなかがふくれ食事の量が減る。

栄養不足になりかねないうえ、甘味飲料を多く摂《と》ると、エネルギーだけが過剰摂取となり、他の栄養素不足になる。噛《か》むことも減るので、咀嚼《そしやく》力やあごの発育にも影響する。

もっと深刻な事態もある。最近、脚気《かつけ》が増えているというのだ。

脚気はビタミンB_1の欠乏が原因で、下肢がだるい、疲れやすい、むくみなどの症状が出る。九州大学小児科の症例では、二歳十一カ月で脚気を発症した男児は、生後十二カ月ごろからイオン飲料を飲み始め、発症時には一日、一〜一・五リットルも飲んでいたという。

「イオン飲料を多飲し、牛乳や肉など動物性タンパク質はほとんど摂っていなかった。この飽食の時代に脚気なんて……」と津留部長を嘆かせる。

イオン飲料は糖分が多いため、虫歯にもなりやすい。飲ませ方も影響する。哺乳瓶《ほにゆうびん》でイオン飲料を飲ませると、持続的に糖分が歯の表面に接する。赤ちゃんが寝てしまうと唾液《だえき》の分泌《ぶんぴつ》がなくなり、さらに虫歯になりやすいという。

＊

ではなぜ、イオン飲料はこんなに普及したのか。

途上国では、コレラなど下痢による脱水症状で死ぬ乳幼児が後を絶たない。静脈への輸液（点滴）が有効だが、衛生的な器具の入手は困難だ。そこで簡単な方法として、一九七〇年代後半、口からの「経口輸液」が考えられた。

これにより、多くの乳幼児の命が救われ、英国の医学雑誌「ランセット」は「二十世紀最大の進歩」とたたえた。この研究の延長でイオン飲料が考案されたのだ。

津留部長は「経口輸液に多くの小児科医が興味を持ちました。メーカーもこぞってイオン飲料を販売するようになった」と話す。

だが、ここで大きな誤解があった。経口輸液とイオン飲料が混同され、母親たちは「病気の赤ちゃんに良い。それなら元気な赤ちゃんにはなお良い」と、水代わりに飲ませ始めたのだ。

水代わりでなくても、下痢のときにイオン飲料を与える母親は多い。

津留部長は「下痢のとき飲ませるのはイオン飲料でなく、経口輸液という考え方をすべきです。大人用イオン飲料はナトリウムの含有量が少なく、糖分が多い。赤ちゃんが下痢や嘔吐のとき飲ませると、かえってひどくなる可能性があるのです」と話す。

赤ちゃん用のイオン飲料も出ているが、商品により成分に差があるので、小児科医に相談して適切な指導を受けたほうがよさそうだ。

誤った水分補給はまだある。

人工乳を調乳するのにミネラルウオーターを使うことも、そうだ。国産品は軟水でほとんど水道水と変わらず、調乳用に買う意味はない。外国産はミネラル（カルシウムやマグネシウムなど）を多く含む硬水であるため、母乳に近づけた人工乳のミネラルバランスがくずれるので避けるべきだという。

赤ちゃんを早く成長させようと、人工乳の粉末をスプーン一杯程度多めに入れる母親もいる。

津留部長は「そうすると、赤ちゃんはのどが渇き、水分をほしがります。イオン飲料を飲むことにもつながり、悪循環ですね」と話している。

＊

津留部長は約二十年前、アメリカ留学中にベビーカーに乗せた赤ちゃんに哺乳瓶でコーラを飲ませている母親を見て驚いたという。今では国内でも、そう珍しい光景ではなくなった。

こうした現状について、「乳児期の生活習慣が、大人の生活習慣病の第一歩になる」と指摘する医師は多い。

津留部長も「離乳期が始まる前の赤ちゃんは基本的に、母乳か人工乳と水（湯冷まし）以外の水分は与える必要はありません」と指摘し、こうつづける。
「今は一人っ子も多く、子育てはファッション感覚になりました。気持ちは分かりますが、お金をかけるなら、手間暇をかけるべきでしょう。母乳でもミルクでも水でも同じです、抱っこして赤ちゃんの顔を見つめながら与えてほしいですね。『寝かせてテレビを見ながら哺乳瓶』ではいい子は育ちません。栄養行為は愛情行為。こういう考え方が今の母親に一番欠けているんです」

（担当・篠崎理）

第九部　シンポジウムを終えて

母親は随伴的存在……この人とコミュニケーションできると思わせること

二〇〇二年十一月十八、十九日と二十一日の三日間、東京と大阪で第一回「新・赤ちゃん学国際シンポジウム」が開催された（産経新聞社／関西２１００委員会・日本赤ちゃん学会主催）。

海外の赤ちゃん研究の第一人者たちが最新の成果を報告したが、国内の研究者からも興味深い報告が相次いだ。その中から、京都大学大学院文学研究科の板倉昭二助教授の実験報告を紹介する。

実験の対象は、生後九カ月から十三カ月の赤ちゃんとお母さん計三十七組。コンピューター画面の前に、お母さんが赤ちゃんを抱っこして座る。画面には、花や動物など、赤ちゃんの好きそうな絵を二つ横に並べて映し出す。これを、次の三つのパターンで見せる。①そのままの状態　②母親がどちらかの絵を指差して赤ちゃんの注意を向けさせる　③どちらかの絵をチカチカと点滅させる。

いずれの場合も二十秒間見せ、その後約七秒間、絵を消し、ふたたび二十秒間同じ絵を見せる。そして二回目は指差したり、点滅などの刺激は与えないで、そのままの状態で見せる。一回目、二回目ともに、赤ちゃんがそれぞれの絵をじっと見つめた時間を測定した。

実験の結果、まず①の場合、一回目、二回目ともに、赤ちゃんが二つの絵を見つめる時間に有意な差はなかった。

②の場合、一回目は明らかに母親が指差した方の絵を長く見た。③の場合も結果は同様で、点滅しているほうの絵を長く見ていた。

ところが、何の刺激も与えなかった二回目に、違いが現れた。

②の場合、赤ちゃんは一回目に母親が指差したのと同じ方を長く見ていた。一方、③の場合は、二つの絵を見る時間に有意な差は認められなかった。

②では、母親が「ほら、あのお花の絵を見て。きれいね」と言いながら赤ちゃんに注意を促す。すると、赤ちゃんも同じものを見る。

「母と子が注意を共有するということが赤ちゃんにとって重要で、次の場面に起きる赤ちゃんの行動、反応を規定しているのではないでしょうか」と板倉助教授は分析する。

単なる点滅刺激は、その時には赤ちゃんの興味を引いても、次の場面にまで影響しなかった。板倉助教授は「母親の指差しと点滅刺激では、刺激の質が違うということかもしれません」と話す。母親の指差しが、赤ちゃんにとって重要な意味を持っていることを示しているわけだ。

＊

しかし、この結果だけから「人間が指差したことが重要だ、とは言いきれない」と板倉助教授は言う。もしかすると、赤ちゃんに対して適切な反応を返す「随伴的な存在（刺激）」であることの方が重要なのかもしれない。

「赤ちゃんの反応にしたがって点滅する（赤ちゃんが笑うと光る、動くと光る、など）刺激だったら、結果は少し違っていたかもしれませんね」

また、人間のように社会的随伴性をもつロボットが相手だったら、どうなっただろうか。さらに新しい研究を計画中だ。

赤ちゃんにとって、自分が笑えば同じように笑ってくれ、ウーアーと声を出せば同じように声をかけてくれる存在、すなわち随伴性のある存在（通常、親や保育者）は、大きな影響をもつことが分かった。

シンポジウムに参加した、フランスのジャクリーン・ネーデル博士も「随伴的な反応を示すということは、非常に重要です」と指摘している。

板倉助教授も、社会的随伴性の重要性を認める。ただし、さきほどの実験からは「母子の結びつきというのは、社会的随伴性だけではない、何かがあるはずです」と話す。

随伴性は、赤ちゃんにとって「この人は自分とコミュニケーションがとれる存在だ」と感じる取っ掛かりになる。そしてそこから、相手との関係が作られていく。そういうコミュニケーションの中に心が現れるのではないか、と考えられるのだ。

何気ないやりとりの一つひとつが、赤ちゃんの発達に大きな役割を果たしている。

異分野からの参加者……赤ちゃんのように「学ぶロボット」をつくりたい

「新・赤ちゃん学国際シンポジウム」には、小児科や発達心理学といった、これまで乳幼児と密接にかかわってきた専門家ばかりでなく、霊長類学や工学系など異分野からの参加者も目立った。

ロボット研究で知られる大阪大学大学院工学研究科の浅田稔《みのる》教授もそんな一人だ。海外から迎えた最先端の研究者たちに積極的に討論を仕掛ける、貪欲《どんよく》な姿勢が印象的だった。

しかし、なぜロボットの専門家が赤ちゃん学なのだろうか。一般の人は、不思議に思うかもしれない。

この疑問に対し、浅田教授は「最終目標としてコミュニケーションが可能な『鉄腕アトム』のようなロボットを作ろうとすると、ヒトがどのように発達・成長していくのかを知る必要があります。そのためにも赤ちゃんをじっくり見たいのです。ロボットを作っていく過程で、ヒトが分かるかもしれないし、逆に赤ちゃん、ヒトが分かれば、私たちが目指すロボットに近づけるかもしれません」と説明する。

これまでのロボットは、設計者が明示的にその行動を規定し、設計者の思惑通りに動くものだったのかもしれない。浅田教授はそれとは異なる設計法を生み出したいと考えているようだ。

＊

シンポジウムの中で、浅田教授は「行動の早期発達について」をテーマに基調講演したクラエス・フォン・ホフステン博士（スウェーデン）の研究に特に注目した。

「彼は、赤ちゃんは白紙の状態で生まれてくるのではなく、いろいろ準備されて生まれてくるものと説明しました。私が欲しいのはその設計原理で、赤ちゃんの体の中では、何が準備されていて、何がどんな因子の影響を受けて、どう発達していくのかを見てみたいのです」

浅田教授は、例えば生後まもなくの赤ちゃんが目の前にいるヒトの「舌出し」を模倣するホフステン博士の実験を見て、不思議に思ったという。

「舌出しの模倣ができるというのは、相手の部位が自分のどの部位か、体の対応づけが分かっているということです。生まれたての赤ちゃんが、目から脳に入ってくる視覚情報をきちんと解釈していることはとても不思議に思いますね」

こういう動作をロボットに模倣させるのは、現状では難しいようだ。

設計者が恣意《しい》的にプログラムすることは簡単だが、ロボットが舌はこんな形で、こんな色をしているなどと理解したうえで、部位の対応づけをしていなければ、本当の模倣にはならない。

では、赤ちゃんがどうしてこうした能力を持っているのか。その設計原理が分かり、ロボットに書き込めば、ロボットも模倣ができるようになるかもしれない。

浅田教授は、ロボット研究はそのまま赤ちゃん研究にも役立つと考える。

「赤ちゃんの脳の中を実際に見ることはできないが、ロボットならばできます。赤ちゃんの認知・行動の設計原理の仮説をロボットに書き込み、さまざまな環境の中で育っていくロボットを見ていけば、赤ちゃんの何かが分かるはずです」

＊

浅田教授が、赤ちゃん研究、日本赤ちゃん学会の活動に積極的にかかわっているもう一つの理由として、この学問が異分野交流しやすいという点を挙げる。

「赤ちゃんについては、まだあまり分かっていない部分が多いようです。でも、いろんな分野のいろんな考え方の研究者が集まっているので、こちらも入っていきやすいし、よい刺激となります。これがもし、すでに出来上がった学問だと、交流は難しいのでは……」

ヒト、赤ちゃん研究については、哲学・心理学・社会学の文科系的なアプローチと、脳科学・神経科学・生物学といった理科系的なアプローチがあると考えられてきた。

浅田教授はその二つを結びつけるためにも、モノ（ロボット）を作る過程で、認知発達のモデルを探っていきたいという。

「ロボット技術は日本が世界をリードしており、ロボットを使った日本オリジナルの赤ちゃん研究が確立できればうれしいですね」

ただ、こうも言う。

「私たちが作るであろう『赤ちゃんロボット』と、赤ちゃんとは所詮《しょせん》、異なります。モドキであって、人間自身ではないのです。でも、それらしきものを作ることによって、赤ちゃん、そしてヒトの心が分かるヒントになればよいのですが」

若き研究者を世界へ……まだまだ少ない、赤ちゃんの実験参加

「世界最先端の研究者たちは、日本のレベルもずいぶん高いと感じてくれただろうし、日本の研究者たちも大いに刺激を受けたのではないでしょうか」

「新・赤ちゃん学国際シンポジウム」を終え、日本赤ちゃん学会事務局長の小西行郎・東京女子医科大学教授は感想をこう語った。

事実、シンポで追加発表した日本の中堅・若手研究者からは「論文を読んで影響を受けた海外の研究者と直接、意見交換ができて感激です」などの声も聞かれた。

交流の機会が持てたことで、日本の研究者が世界にはばたく際の、良い意味での〝コネ〟ができたわけだ。共同研究の可能性も膨らんでいくだろう。

海外から招待した五人の研究者の印象を、小西教授は「共通して言えるのは、プレゼンテーションがうまく、慣れていること。討論でも言いたいことは遠慮なく言う。見ていて圧巻で、日本人にはとてもできないと思いました。いい勉強になりましたよ」と話す。

そして日本赤ちゃん学会も、今回のシンポが成功を収めたことで、組織としての目標ができたという。

「赤ちゃん研究の世界会議ともいうべき、国際赤ちゃん学会（International Conference on Infant Studies）を日本に招致したいですね」と小西教授は話している（二〇〇六年に京都で開催されることになった）。

＊

シンポジウムは、新聞連載の「新・赤ちゃん学」の好評を受け、紙面から飛び出し、研究者が読者に直接語りかける場を提供しようと、産経新聞社と日本赤ちゃん学会の共催で企画された。あえて育児を前面に出さず、脳科学や行動学からみた最先端の赤ちゃん学にこだわった。

「世界の赤ちゃん研究の潮流は、何と言っても脳研究です。それを実際の育児にフィードバックしていくのが、私たちの今後の課題ですが、まずは赤ちゃん研究で今、何が行われ、何がわかっているのかを知ってもらいたかったんです」と小西教授は話す。

本書でも、さまざまな場面でその都度赤ちゃんの脳について触れてきた。行動、意識、言葉などすべてが脳と密接にかかわっているのだから、それは当然なのかもしれない。

その反面、小西教授はメディアが赤ちゃんの脳を取り上げる場合には細心の配慮が必要という。

「例えば、最近の育児雑誌でも赤ちゃんの脳機能を盛んに取り上げ、私たち研究者のコメントも紹介している。しかし同じページには、脳研究を絡《から》めて早期英語学習の派手な広告があったりする。読者からすれば、研究者が推奨していると誤解するかもしれません」

一般の人が、実証もされていないことを鵜呑《うの》みにして、実際の育児・教育に取り入れてしまうのは危険だ。今後の研究でいろいろ明らかにされていくので、メディアも興味本位で、まだ分かってもいないことをセンセーショナルに取り上げる必要はないだろう。

そういう意味では、一方通行型のメディアだけに頼らず、今回のシンポジウムのように、研究者たちが子育て中の母親に直接語りかけ、質問に応じるという双方向型の仕掛けがもっと必要となるだろう。

＊

赤ちゃん研究の当面の課題を小西教授は二点挙げる。

一つは若い赤ちゃん研究者を育てること。今回のシンポジウムでは、国内の中堅・若手研究者十数人が追加発表し、外国人研究者から高い評価を受けたが、このレベルの研究者は意外と少ないのだ。

「異分野交流は盛んだが、赤ちゃんだけを見つめている研究者はまだ少ないんです。

もう一度シンポジウムをやるにしても、同じメンバーになってしまうほど枯渇《こかつ》していきます。もっと研究者が増えるようこの学問を成熟させていく努力も必要です」と小西教授は話す。

もう一つは、一般の人たちに赤ちゃん研究への理解を呼びかけること。日本は欧米に比べ、赤ちゃんの実験への参加がまだまだ少ない。

小西教授は「実験に参加したからといって、その赤ちゃんに好影響を与えるというものではありません。データを蓄積することで、将来に生かすことが目的ですから。そうした人類の未来を担《にな》う学問なので、親御さんにはぜひ理解してほしい」と訴えている。

さて、現在の赤ちゃんたちに、親は何をしてあげられるのか。

小西教授はシンポジウムでこう締めくくっている。

「特殊なことはせず、子供をきちんと観察し、自分の子供を信じ、ゆっくりと教育していけばいいんです」

そう、親たちもまた、赤ちゃんの研究者なのだ。

この視点を持ちつづけながら、これからも「新・赤ちゃん学」の取材を続けていきたい。

◇　◇　◇

目線……赤ちゃんは周囲の人と目を合わせることが大好き

　赤ちゃんが怖い。正直に言うと、そう感じていた。扱い方を知らないし、すぐに壊れてしまいそう、ということもある。が、一番の理由は、何の臆面《おくめん》もなく、じっと人を見るからだ。

　例えばエレベーターで、赤ちゃんを抱っこしたお母さんと乗り合わせたとする。大人は大抵、入り口を向いて乗るから、こっちが先に乗った場合は、自然と赤ちゃんと向き合うことになる。

　と、決まって赤ちゃんは、じっとこっちを見るのである。これが三、四歳だと、にらみ返せば目をそらしてくれるのだが、赤ちゃんは違う。さらに興味深そうに見詰めてくる。相手は〇歳児、と自分に言い聞かせても、こうまじまじと見られてはたまらない。

　まあ、尋常な大人なら、笑いかけたり、「ばあ」などと赤ちゃん言葉をかけたりするのだろう。それができないこっちにも問題はある。一度などは、「眼《がん》の飛ばし合い」に負けてしまい、またある時は、相手が目をそらすまで意地になって大人げもなくにらみ続けてしまった。

ところが一年間、「新・赤ちゃん学」という新聞連載をデスクとして担当することで、否応《いやおう》なくこの小さな「敵」と向き合うことになった。世界の赤ちゃん学者を取材し、最先端の研究成果を紹介するうちに、気が付くといつしか、こうしたいわれなき恐れは氷解していた。

＊

赤ちゃんは、人の顔を見るのが、そして見られるのが好きなのである。いや、好きというよりも、そういう存在として生まれてきたのだ。

連載の関連事業として、第一回「新・赤ちゃん学国際シンポジウム」が二〇〇二年十一月に東京と大阪で催されたが、出席した研究者たちの発表も、これを裏付けていた。

「生後四カ月の赤ちゃんに、真っすぐこっちを見ている顔と、前を向いているがよそ見をしている顔を見せました。すると正面を見ている顔を好んで見ることが分かりま

した」（ロンドン大学の脳科学者、ガーガリー・チブラ博士）

「母親が赤ちゃんの動きに的確に反応しないとどうなるか、実験したところ、目をそらしたり、泣いたりしました。赤ちゃんには笑いかけ、話しかけることが大切です」（フランス・国立科学研究センター所長、ジャクリーン・ネーデル博士）

「動物の中で母と子が見詰め合うのはヒトとチンパンジーだけです」（京都大学教授、松沢哲郎博士）

発表を聞いていて、妄想は膨らんだ。

食欲、性欲、睡眠欲をよくヒトの三大欲と言うが、「目を合わせたい」という気持ちも生まれながらにして持っている四番目の欲望なのではないか。他の動物に比べ、直接触れ合うことが少なくなった代償かもしれない。社会の形成、維持とか、種の保存のため身につける感情ではなく、もともと備わっている独立した欲望なのだろう。

だが、わが身を振り返ってみると、本当にこうした欲望があるのか、ちょっと疑わしい。人の目は、どちらかと言うと不快だ。赤ちゃんの時にだけあって、成長するうちに薄れてしまうのだろうか。

＊

前出のチブラ博士にメールで質問すると、すぐに回答が返ってきた。

「大人にとってもアイコンタクトは重要です。ただ大人は、自分を見ている顔にも、見ていない顔にも、ある意味を見いだします。大人は、目と顔を制御している脳の場所が違うのです」

これを私流に曲解してみた。大人の場合、人に見られると、何らかの意図を感じ、落ち着かなくなる。じろじろ人の顔を見るのは失礼、と言われるのはそのためだ。かくして、生まれ持っている淡い欲望は満たされないまま放置されてしまう。現代人はこの欲望について、常に欲求不満なのだ。都会の孤独と言ってもいい。私の「赤ちゃん恐怖症」はその裏返しなのかもしれない。

ではどうすればいい。いまさら人と見詰め合うなんて、できるわけがない。せめて今度、赤ちゃんと顔が合ったら、目の奥からそっと笑いかけてあげようか。形を変え、もう一年続く連載が終わるころには、「ばあ」くらいは言えるかもしれない。三年目を迎えた二十一世紀の担《にな》い手たちに。

〔二〇〇三年一月に新聞掲載されたコラム「はしがき」より　担当・真鍋秀典〕

◇資料◇第一回「新・赤ちゃん学国際シンポジウム」討議内容

世界トップレベルの赤ちゃん研究者五人を海外から招いた第一回「新・赤ちゃん学国際シンポジウム」が二〇〇二年十一月十八、十九の両日、東京都千代田区の大手町サンケイプラザで開かれた。行動、視覚認知、言語、母子関係などさまざまなテーマで、最新、最先端の研究成果が内外の研究者たちから発表され、日本の若手研究者には大きな刺激となったようだ。また、外国人研究者たちとの議論も白熱し、専門家のほか赤ちゃんを抱いた母親など五百人が聞き入った。

シンポジウムは、会場を東京から大阪市北区のサンケイホールに移して二十一日にも開かれた。日英二人の基調講演のあとに行われた公開討論では、赤ちゃんが泣く理由や外国語の早期教育などについて活発な議論が繰り広げられた。会場は母親や出産間近の女性の姿も目立ち、約八百人がじっくりと耳を傾けていた。この討論では、音声学、霊長類学、脳科学と、さまざまな立場の研究者が、赤ちゃんについて語った。また会場からも質問が寄せられ、早期教育の是非などについて、熱心に話し合った。

【基調講演】

行動の早期発達について……………クラエス・フォン・ホフステン博士

スウェーデン・ウプサラ大教授（心理学）。米・スタンフォード大行動科学先端研究所特別研究員、米・バージニア大客員教授などを歴任。一九七六年から赤ちゃんの行動発達研究を始める。乳児段階から、知覚、認知、行動が相互にどのように影響を及ぼしながら、大人のような行動ができるように発達していくのかを調べるのが研究の主テーマ。特に視覚リーチング運動に詳しい。赤ちゃんの行動研究についてはパイオニア的存在。

世界へと向く意識、動機づけから行動する赤ちゃん

生まれたばかりの赤ちゃんであっても、すべての行動は刺激に対する反射では決し

てありません。最初から世界に働きかける存在なのです。知覚、認知による動機づけがあって、意識的に行動を起こすのです。赤ちゃんは、実際には次に何が起こるのか正確には分かりませんが、成長、発達していく過程の中で、身の回りの環境や自然の原理、社会のルールが理解できるようになり、こうした動機づけから、前もって予想に基づいた行動をコントロールできるようになっていくのです。

大人の場合、いろいろなルールを知っているため、例えばダンスなども相手に合わせて踊ることができるのです。新生児も同じように予知的な行動をしますが、大人ほど洗練されてはいない。新たな組織化された行動をするためには、脳の中に新たな神経系が出てきて、新たな動きを獲得するという前向きの動機づけによって、たとえば目の前の物をつかむリーチングなどの動きをすることが可能になっていくのだと思われます。

生後四カ月にもなると、目の前にある物に効率よく手を伸ばすことができます。しかし、それには、姿勢制御、立体的な視覚認知、腕の動きと手の動きの違いの理解、注視のための目の動きなどが相互にかかわってきます。さらに、何度も同じ動きを繰り返すことによって、行動レベルの範囲が拡大していくのです。

私は、生後八カ月の赤ちゃんに、こんな実験をしています。ボールを動かし、目の前で止まるようにしてあげると、この子は手に取ってつかみます。それを何度も続けてみました。やはり同じようにつかみます。待ち構えているのです。しかし、このあと、少し手前でボールを止めてみると、先ほどまでつかんでいた地点と同じ場所でつかむ動作をし、結局つかむことはできなかったのです。こうしたことから、赤ちゃんが予測して行動していることが分かります。

＊

幼児期における異言語学習の神経生理学……マリー・シュール博士

米・マイアミ大助教授。フィンランド・ヘルシンキ大（脳認知研究部門）で博士号取得（心理学）。同国・トゥルク大教授を経て、二〇〇二年から現職。幼児期における母国語と非母国語に対する認識と区別の研究が主テーマで、行動学的手法と脳科学的手法をうまく組み合わせて取り組んでいる。トゥルク大に在職中の二〇〇二年初め、「生後まもなくの赤ちゃんは眠っていても学習できる」とする論文（共同研究）を英科学誌「ネイチャー」

に発表し、この分野の専門家の間で注目を集めた。

生後二日目で反応　赤ちゃんは睡眠中に言語を学習する

科学技術の発達で、睡眠中の赤ちゃんの脳内電位を測り、赤ちゃんが言語を習得するメカニズムを調べることが可能になりました。その一つが、MMN(mismatch negativity)という、脳の自発的な変化検出反応に対応する脳波成分を測定する方法で、赤ちゃんの脳の反応を安全に描き出すことができます。

これで生後二日目の睡眠中の赤ちゃんの脳を調べると、赤ちゃんは周囲の会話に反応し、脳内電位が高くなっています。こうした現象は大人ではまったく見ることができません。赤ちゃんが寝ているときに言葉に反応するというのは大変驚くべきことで、赤ちゃんは睡眠中に言語を学んでいると考えられます。

それでは、赤ちゃんは音を弁別することができるのでしょうか。赤ちゃんを三つのグループに分け実験しました。まず、すべての赤ちゃんに一日中、フィンランド語独特の複雑な母音を聞かせました。実験の前後に全員の脳の反応を調べましたが、際立《きわだ》った反応はありませんでした。

このうち一部の赤ちゃんは母親と帰宅させ、残りの赤ちゃんを二つのグループに分けました。一つのグループには昼間と同じ複雑な母音を睡眠中に夜通し聞かせ、別のグループにはもっと簡単な母音を聞かせました。翌日の朝と夕方に調べると、フィンランド語独特の複雑な母音を聞いていたグループは脳波の反応が活発でした。これは赤ちゃんが音を弁別していることを示しています。つまり、赤ちゃんは睡眠中に言語を学び、音を弁別することが可能と考えられます。

それをいつまで覚えているかですが、赤ちゃんの知覚に関する研究はあっても、記憶に関する研究は少なく、今後の研究が期待されます。赤ちゃんはさまざまな面で個人差が大きいので、その個人差についても調べる必要があります。差は将来の発達の予測因子になるのか、それともいずれ消えてしまうのか。もっと調べ、それを個々のデータとして蓄積していくことも重要な研究課題でしょう。

*

自閉症児の社会的随伴性に対する予測性の向上…ジャクリーン・ネーデル博士

フランス・国立科学研究センター所長。発

達心理学と精神疾患に関する研究が専門。特に、母子間などのコミュニケーションにおける模倣の役割に注目し、自閉症の子供の早期の発見にも大きく貢献している。また、リアルタイムの映像と、同じ映像でも遅れの時間差をつけた物を見せて小さな子供の反応を観察する「ダブルビデオシステム」を母子間の相互関係の研究に導入するなど精力的に活動する。自閉症児についても造詣《ぞうけい》が深い。

母親の真似《まね》から生まれる、社会的な随伴行動

人間というのは、常に何かを予測している存在です。ヒントを与えられて、次に起こる出来事を予測するわけです。目の前にいる相手の心がどんな状態であるかを推測し、その人が取る行動を予測します。そして、どんなことに関心があるか、どんな感情なのか、何をしたいのか、何に注意しているのか、といったことを予測します。このような予測能力というのは、言語を獲得する時期に、もっとも発達します。

こういったことを調べるために、次のような実験をしました。鬱病《うつびょう》などを患《わずら》って随

伴性を失い、自分の赤ちゃんの行動に適切に反応しない母親と、通常に反応する母親に対して、生後九週間の赤ちゃんがどう反応するかを調べたのです。

その結果、鬱病の母親の赤ちゃんも、健康な母親の赤ちゃんも、母親が随伴的でない行動をとると、それを感じ取り、どちらも目をそらしていました。ところが、鬱病の母親の赤ちゃんは、その状況に対して、怒ったり泣いたりすることはありませんでした。

常に母親とのコミュニケーションが非随伴的なものなので、そのようなことに驚かない、ということなのか、あるいは母親の随伴的な行動がもう効果的でなくなっているのかもしれません。

鬱病の母親は、赤ちゃん言葉で話しかけたり、赤ちゃんの表情を真似したり、ということはありません。随伴的な反応を示すことは、赤ちゃんの発達にとって重要と言えます。

自閉症の子供を対象にした実験でも、随伴的に真似をしてあげることが大きな役割を果たしていると証明されました。言葉が出るまでの段階は、真似をするということは立派なコミュニケーションの手段です。自分がやっていることを真似されている、と認識し、それを繰り返すことで社会的な行動の発達にもつながります。そして将来的には、社会的な随伴行動につながっていくのです。

＊

光トポグラフィーを用いた赤ちゃんの言語処理能力の解明
………ジャック・メレール博士

イタリア・国際認知神経科学先端研究所所長。米・マサチューセッツ工科大研究員、フランスの社会科学高等研究院教授、国立科学研究センター認知科学・心理言語学研究所所長などを歴任。認知科学の分野では後発国だったフランスにこの学問を導入した先駆者。赤ちゃんが母国語以外の言語を獲得する過程、どの時期に、どんな刺激を与えれば効果的に学習できるかについて意欲的に研究をしている。赤ちゃんの認知行動、言語獲得過程を紹介した著書『赤ちゃんは知っている』は九カ国語に翻訳されている。

生後すぐの状態でも、直感的に言語を習得している

赤ちゃんは言葉の学習が上手です。まるっきり白紙の状態で生まれてくるのではなく、あらかじめ言語に関してもプログラムされており、生まれてすぐに学習をスタートさせています。脳では、すでにいろいろな言葉を聞いているのです。

赤ちゃんに同じ音を何度も聞かせます。習慣づけです。例えば「パ」という音を聞かせて、赤ちゃんから反応があれば、その子はその音に慣れたのでしょう。次に「バ」など違う音を繰り返し聞かせ、赤ちゃんが先ほどとは別の反応を示したならば、二つの音を弁別できたことになります。さらに、大人でもなかなか弁別できない音でも、赤ちゃんはちゃんと弁別しています。しかし、言葉の学習が進んでいくと、今度は習得した弁別ができなくなる。つまり生後すぐは、すごく直感的に言語を習得する能力を有しているわけですが、成長していくと、その能力を失ってしまうのです。一つの言語の特異性に、よりフォーカスを当てて聞くようになってしまうのです。

また、人の脳は赤ちゃんのときから、普通のスピーチと、逆回しのスピーチとを、きちんと弁別しています。それはフランス語でも日本語でも同様です。生後五日以内

の赤ちゃんで調べるために、安全性の高い光トポグラフィー法（光を使って大脳皮質の血液を計測し、活性を調べる）の装置を使いました。その結果、順送り、逆回し、無音の三パターンで、反応がまったく違っていたのです。つまり、いま、スピーチが三つのうちどの状態であるのかを赤ちゃんは理解していたのです。この一連のプロセスはすべて左脳で処理していました。

いま、私は日本の研究者との共同研究で、生後二～四カ月の日本とイタリアの赤ちゃんで言葉の「選好」の違いを比較しています。イタリアの赤ちゃんがイタリア語の方を日本語よりも好むのだろうかと。そして、いったいそれはいつごろから始まるのだろうか。こうした国際共同研究は大切なことなのです。

＊

赤ちゃんの心をよむ……………………………小泉英明博士

日立製作所基礎研究所・中央研究所主管研究長。文部科学省・「脳科学と教育」研究に関する検討会委員。東京大学教養学部基礎科学科卒。一九七一年、日立系の商社である日製産業入社。その後、日立製作所に転入。一九七六年、東京大学理学博士（偏光ゼーマン原子吸光法の創出）。米・カリフォルニア大ローレンスバークレイ研究所客員物理学者、北海道大学客員教授など歴任。東京都神経科学研究所客員研究員、東京大学大学院総合文化研究科客員教授、日本赤ちゃん学会副理事長なども兼任する。

脳の研究で健やかな人間を育てる

光トポグラフィー法など最先端技術を駆使することで、脳の働きが少しずつ見えてきました。これにより学習と教育を生物学的な視点で見直すことが可能になります。

学習は環境からの外部刺激により中枢《ちゅうすう》神経回路を構築する過程ととらえられ、その外部刺激を制御、補完する過程が教育です。つまり、学習と教育は、生から死までの一生を通じた包括的な概念として考えられます。

光トポグラフィーで、大脳がほとんどない一歳の赤ちゃんを見る機会がありました。植物状態で目も見えなければ耳も聞こえない。しかし、親は「どうしても見えているようだ」というので診断しました。すると、わずかに残った脳で一生懸命反応しようとしていることが分かりました。

窒息状態で生まれ、脳が溶けた状態の赤ちゃんでも、左手をブラッシングして計測すると、普通では動くはずがない前頭葉が反応する。赤ちゃんの脳は非常に柔らかく、一部が壊れたら他のところで補償するプロセスがあるということです。

脳の研究が進めば、障害児でも、特殊な保育により機能をかなり回復させることができるでしょう。いい形の養育に協力するには、まず正常な赤ちゃんの脳を調べることが大前提となります。

同時に、心の理論をどう計測するかも重要です。物の理論、例えば飛んできたボールを受けたり避けたりは経験でできる。しかし、会話中に相手が怒って殴ってくるというのはニュートン力学では予測できません。

心の理論にはいろいろな定義がありますが、相手の心が読めなければ相手の立場には立てないということが重要です。それができないと自分中心の人間になり、それはすでに多くの社会問題となって現れています。

そんな心の理論をサイエンスで解決する試みが、産官学の連携で始まりました。こういう研究は、他人の立場に立てる心の育成、多様性を受容できる寛容性などを育む《はぐく》ため、極めて重要です。

科学技術の発展は、役にも立つが、使い方を誤れば危険という両面があります。健やかな人間を育てるシステムを確立することが大切でしょう。

＊

赤ちゃんの脳波は語る……………………………………ガーガリー・チブラ博士

英・ロンドン大バークベックカレッジ心理学認知発達研究センター講師。ハンガリー・ブダペスト大で博士号取得（心理学）。一九九四年から英国に研究の場を移す。赤ちゃんの視覚認知能力の発達が主な研究テーマで、脳がどう機能しているのかに強い関心を持っている。生後六カ月では認識できない複雑な図形を八カ月の乳児では大人と同じように認識しているということを脳波を使って明らかにした。以後も新しい手法を用いた乳児の認知発達についての精力的な研究活動をしている。

大切な「目と目」のコミュニケーション

私は、赤ちゃんがどのようにして自分を取り巻く世界、外界を理解していくのかに、興味をもっています。赤ちゃんの脳は特に生後一年間に、どんどん発達していきます。それは大きさも大きくなりますが、中の構造も複雑化しています。私たちは、頭の周りに安全性を考えたセンサーを、シャワーキャップのように張り巡らせ、脳波を測っています。脳波をいろいろ計測して、脳の構造のどの部分、脳の中のどのような機能がこのような能力を可能にしているのか、関心があります。

まず、顔の認識というのは、私たち、そして赤ちゃんにとって重要なものです。すなわち、「自分が仲間と同じ人間かどうか」を知るうえで、とても重要な学習能力です。顔といってもすべて人間の顔とは限りません。動物の顔だって顔なのです。そしてもう一つ重要なのは、その顔の視線がどっちを向いているのか、方向も重要です。

生後四カ月の赤ちゃんに二種類の顔の画像を見せます。一つは、真《ま》っ直《す》ぐ赤ちゃんを見つめている顔。もう一つは視線が斜めの方を見つめている顔。この真っ直ぐ見つめる「直視」というのは、実は人にとっては、とても重要な刺激なのです。特に赤ちゃんにとっては、コミュニケーションを確立するためには、目と目が合うということが大切なのです。

脳波で見ると、真っ直ぐ赤ちゃんを見ているのか、斜めを見ているのかで、差が出ています。視線が真っ直ぐの方に反応します。すなわち、赤ちゃんにとっては、顔が真っ直ぐだろうが、逆さまだろうが、そんな顔の向きよりも、もっと重要なのは、その相手の人間の顔が赤ちゃん自身をじっと見つめているかどうかということです。

次に、生後五日以内の新生児で調べました。この実験では、さきほどの顔の画像を二つ同時に見せました。真っ直ぐ見つめているのと、斜めを見ているものです。赤ちゃんは、どちらを何回見てもいい。

まず二つの顔のどちらを長く見つめるかを測りました。やはり自分を見つめる顔の方を長く見ていました。そして、この二つの顔が同時に現れると、赤ちゃんは目を右、左に動かして、二つの顔を何回か見るのですが、見る回数もやはり自分を見つめる顔の方が多く、脳波も反応します。ほとんどの赤ちゃんで同じ結果がでています。

そこで一つの結論を出すことができます。まず、赤ちゃんは顔を見るのがとても好きだということ、たぶんとても顔を見たがっているのだと思います。でもそのときに、例えば上下逆さまでも、それは、それほど重要ではないということです。

もう一つ別の実験。赤ちゃんは、物が隠れてしまうと、それを忘れてしまうのだろうか。

二つの動画を作りました。まず一番目は、おもちゃの汽車がトンネルの中に入り、通過して外に出て行きます。そのあと、人間の手がトンネルを上に持ち上げます。中にはもちろん何も入っていません。二番目は、汽車がトンネルの中に入る。そして、人の手がトンネルを上に持ち上げる。中には何も入っていない。そしてトンネルを元に戻すと、汽車がトンネルから外に出て行く。

二つの動画を生後六カ月の赤ちゃんに見せると、二番目の動画を長く見ています。要するに、汽車の消え方がどうもおかしいと、何か変だということに気づいているわけです。汽車が一度いなくなったことを赤ちゃんは忘れていないのです。トンネルを持ち上げたとき、そこにも汽車がいないことに驚くのです。その時、脳の右側頭部が大変活発になっていました。

＊

チンパンジーの子育て……………松沢哲郎博士

京都大学霊長類研究所（思考言語分野）教

授。京都大学大学院文学研究科心理学専攻博士課程中退。理学博士。専門は比較認知科学、霊長類学。一九七八年から、チンパンジーの心を探る「アイ・プロジェクト」をスタート。二十五年にわたって、チンパンジーのアイの研究を続けている。二〇〇〇年に息子のアユムが生まれ、チンパンジーの子育てや赤ちゃんの成長についても詳しく研究している。著書に『アイとアユム　母と子の７００日』（講談社）など。

チンパンジーも母親を見て学ぶ

多くの人はチンパンジーを「大きくて黒いサル」だと思っています。進化の中でヒトとサルに分かれた後、さまざまなサルが生まれ、その一つがチンパンジー。そう理解されているかもしれませんが、間違いです。

正解は、ヒトもチンパンジーもサルも昔は同じ生き物で、それがヒトとチンパンジーのグループと、サルとに分かれた。サルには尻尾《しっぽ》があるけれど、チンパンジーにはない。ちなみにヒトにも尻尾はありませんね。

人間が本来持っている本性とは何かを知るには、チンパンジーと比べるとよく分かります。進化の中で培《つちか》われたヒト本来の姿が見えてくるのです。

愛知県犬山市の京都大学霊長類研究所には十四人のチンパンジーが暮らしています。ここで私たちはチンパンジーの知性を調べてきました。最近の研究で、アイは五桁《けた》の数を一瞬で覚え、短期記憶の容量は我々と変わらない、ということが示されました。二〇〇〇年、そのアイが子供を産みました。アユムです。そこで、チンパンジーの母親に育てられたチンパンジーの子供の成長を人間と比べる研究を始め、赤ちゃんの認知機能の発達も研究しています。

アユムは一歳から、母親のようにコンピューターを使うようになりました。最近、お金も使えるようになりました。だれも教えていません。二年半、母親の様子を見てきただけです。

親の世代が持つ知識や技術を学ぶ、その進化的な起源はどこにあるのか。チンパンジーで探ると、教育の原則は三つです。①大人が手本になる ②子供はずっと見つづけて、自分でする ③親は寛容で手出ししない。

その基盤には、生まれてからの親子のかかわり方があるようです。「抱きしめる、しがみつく」関係で、これはサルの仲間だけの特徴です。さらに人間やチンパンジーは見つめ合います。相手の目をみて親愛の情を伝えることができるのです。

なぜか。人間の赤ちゃんのように、チンパンジーも新生児微笑をすることが分かりました。生まれながら微笑《ほほえ》むようにできているのです。三カ月頃には目を開けて相手の顔をみてにっこり笑う、社会的微笑も始まる。

親子の絆《きずな》を単に身体的接触でなく、顔と顔を見合わせるコミュニケーションの中で作る。それは人間とチンパンジーだけに認められる特徴ということが分かってきました。

アユムは親や仲間たちと一緒に、コミュニティーの中で育ちます。が、最初はお母さんとだけです。非常に緊密な関係で、生後三カ月までは昼も夜も子供を手放しません。一歳になると昼間は他のチンパンジーが面倒をみ始めます。一歳半ぐらいから他の子供とも盛んに遊ぶようになります。母と子の関係で始まったネットワークが徐々に広がっていくわけです。でも母親は安全探索基地になっていて、必ず母の元に戻ってくる。アユムはまだおっぱいを飲んでいますし、野生では少なくとも三歳半までおっぱいを飲みます。緊密な親子関係があって、それを元に、親の世代が学んだものが子供に伝わっていくと思います。

最後に一つ、お願いがあります。こうしたチンパンジーがアフリカでは絶滅の危機にひんしています。ぜひ彼らに手を差し伸べてください。

【公開討論・大阪】

コーディネーター　小西行郎
パネリスト　ガーガリー・チブラ
松沢哲郎
志村洋子
小泉英明

小西　音楽教育では昔から早期教育が叫ばれていると思いますが、志村先生、どうお考えですか。

志村　音楽教育と言いましても、出発点は、お母さんが赤ちゃんを抱っこしてねんねんね、といいながら揺らすこと。心臓の音というBGMがあり、おなかの中で聞いていたお母さんの声が優しく響く、そういう姿です。

私の親戚《しんせき》で、妊娠中モーツァルトを聞かせていた人がいたけど、生まれて最初に反応したのは「水戸黄門」のテーマソングだったということがありました。きっとお母さんが、放映の時間に豊かな時間を過ごしていたんでしょうね。

胎児は確かに、周りの音からいろんなものを吸収していますが、そこには、どういう環境か、ということが影響していると思います。

小西　チンパンジー研究の立場から、赤ちゃん教育に対してメッセージはありますか。

松沢　長い間、一人のチンパンジーの中に内蔵されている能力に興味をもって研究してきました。それがアフリカに行くようになって、野生チンパンジーの暮らしを見ると、一人のチンパンジーだけ取り出すのには無理があるように思い始めました。

チンパンジーの赤ちゃんは、母親が死ぬと兄姉が面倒をみる。または、よそのおばさんが育てるという例もあります。支えていく周りのコミュニティーがどうなっているのか、チンパンジーとチンパンジーの間にあるものの重要性について最近、気づいてきました。

生物学的に見ると、人間は圧倒的に父親が子育てに関与しています。両親、祖父母がいて子育てをする、というのは人間の本性だと思います。社会や環境の中で子供が育つ重要性、人間の特殊性に、もっと目を向ける必要があると思います。

司会　会場からいただいた質問を何点か紹介します。チブラ博士の話の中で、六カ月から八カ月の間で脳の認知機能の発達に飛躍が見られる、という実験がありましたが、その時期に注意を促すような遊びを積極的に行うことが、脳の発達につながるのでしょうか。

チブラ　今日お話ししたのは一つの例です。生後六週間ごろからぐんと発達する能力もあるし、九カ月から一年ぐらいでついてくる力もある。六～八カ月の期間だけ、特別に認知能力が上がるという意味ではありません。

ご質問の方の関心は、早期教育として、何か特別な刺激を与えたほうがいいのか、ということだと思いますが、いろんなものがあって、普通の環境があれば十分。特別なゲームなどを与える必要はないと考えます。

司会　いつごろ、赤ちゃんは人の顔が見えるようになり、お父さんやお母さんの顔を覚えるようになるのでしょうか。

チブラ　ものすごく早いです。多分、生後一日か二日目。すべての人の区別をつけるわけではありませんが、一番親しい人の顔、というのは分かっているようです。母親は本能的に子供の顔をのぞきこもうとする。目が合うように正面からのぞこうとするから、子供は早くから母の顔を覚えていると思います。

司会　松沢先生への質問です。チンパンジーとヒトの違いをお話しされましたが、なぜ、人間の赤ちゃんの方がよく泣くのでしょうか。

松沢　五百万年の間にヒトだけが身につけたものが、よく泣く、ということです。でもそれは、親子の関係が違っているからで、チンパンジーは泣く必要がないのです。なぜならいつも母親がそばにいるからです。三カ月の間二十四時間、昼も夜も抱っこしているのです。

人間は添い寝の形になりますよね。物理的に言えば離れますから、赤ちゃんは泣くしかない。親の方もしっかり受け止める能力をもっています。親が声をかけるのもヒトだけ。呼びかけることが意味をもち、赤ちゃんは泣き止《や》みます。声で包み込む、声で抱く、それが人間の親子関係の特徴です。ヒトの赤ちゃんは本来泣くようにできているし、親は声をかけるようにできているのです。

司会　早期教育についてたくさんの質問がありました。「全く英語をしゃべれない両親の子供ですが、早くから英語教育をすることで発音をマスターすることは可能ですか」との質問です。ちなみに現在、二歳二カ月で、週に一回の英会話教室に通っているそうです。

チブラ 難しい質問ですね。第二、第三外国語をどのくらい早くから学習したほうがいいのかということは、専門家の間でも意見が分かれています。

ただ、子供は柔軟性に富む学習者ですから、続かなければ忘れます。家族の中でだれかが常に外国語を話すという環境ならば、バイリンガルになる可能性はありますが、ネイティブスピーカー並みの発音であることは、そんなに重要ではないと思います。私はハンガリー人です。英語をマスターしたのは二十代後半ですが、今このように通訳の方も理解してくれている。小さいときに無理してやるより、学校で学べば十分です。

小泉 よく日本人はlとrの違いが聞き取れない、といいますが、実は赤ちゃんの時は聞き分けられる。しかし、脳は環境からの刺激によって、不要なものはどんどん捨てていく。日本語ではlとrの違いはないので、識別する神経細胞の接合がどんどん落ちていきます。それは、今いる自分の環境に最適化するために起こっていることなので、その変化をないがしろにするのも問題です。自然に育つのがすごくいいことだと思います。

志村　そうやって、早くから始めた外国語の勉強がうまくいかなかった場合、それまでの苦労は水の泡となってしまいます。すると、どうしてあんなにやったのに、この子は……という気持ちが絶対出ないとはいえない。それが子供への評価となり、残念だなという気持ちにつながる。これが子育てをつまらなくする一因になってしまいます。だからやってもいいけれど、軽い気持ちで楽しく、ということが基本です。

小西　東京会場でのパネルディスカッションでも、早期教育の話が取り上げられました。外国から来られた五人の先生のほとんどが、教育は早くから無理すべきではない、赤ちゃんの持っている力を自分で伸ばすのが大事で、親御さんが一生懸命するのはむしろ悪いのではないか、という考えが主流でした。

特殊なことはされず、子供をきちんと観察し、自分の子供を信じて、ゆっくりと教育していかれればいいのではないかと思います。

◇参考メモ　パネラーの略歴◇

志村洋子氏・埼玉大教育学部、東京学芸大学連合大学院教授。東京芸大大学院音楽教育学専攻修了。専門は、乳幼児期の音声行動・歌唱行動の発達研究。著書に『ベビーメッセージ　赤ちゃんの気持ちがわかる「語りかけ育児」』（ゴマブックス）など。

小西行郎氏・東京女子医大乳児行動発達学講座教授。日本赤ちゃん学会事務局長。京都大医学部卒。福井医科大助教授や埼玉医科大教授など歴任。二〇〇一年四月の同学会設立に尽力。文科省・「脳科学と教育」研究に関する検討会委員も兼ねる。

＊

【公開討論・東京】

質問　乳幼児に外国語を学ばせることがはやっていますが、効果はあるのですか。

シュール　乳児はどんな国の言語でも聞き分けられますが、それが大きくなるとできなくなる。早くから外国語の音を聞く環境に置くことは有効でしょう。

メレール　ここにいる五人は、英語が外国語。でも今、英語で語り合っています。それぞれの母国語のアクセントで話しても何の問題もありません。

ホフステン　親は子供にいい刺激を与えようと必死ですが、心配しなくていいです。子供はちゃんと必要な刺激を要求します。

シュール　私の二人の子供は三カ国語が話せます。私も、もう一度一歳になれるとしたら、英語を学びたいと言ったかもしれません。

質問　心の発育にはどのようなことが必要ですか。赤ちゃんにとって豊かな環境、最適な環境とは。

ホフステン　あまり心配しなくていいでしょう。最適な環境は家庭です。赤ちゃんは周りの者とかかわって学習し、他人を知るのです。

ネーデル　赤ちゃんは小さな大人ではありません。環境を受動的に受け入れているのではなく、自分で積極的に新しい目的を選んでいます。特別に何かを与えるより、笑いかけること、話しかけることが大切です。

メレール　理想的な環境というのは、理論を反映しているに過ぎません。新しい理論が現れれば覆《くつがえ》されます。いわば空虚な質問です。

チブラ　特別な環境は必要ありません。赤ちゃんのための語学テープとか胎教の教材とかが盛んにセールスされていますが、親はもっと懐疑的になった方がいいですね。鵜呑《うの》みにしないでください。

シュール　私はそういう教材の信奉者です。特に、障害のある子には助けになる。学習障害のある乳児は早くから介入してあげることが大切です。

小泉　いろいろな意見がありますが、赤ちゃんは生きる力を持っている。あなたの赤ちゃんを信じなさい、ということですね。

〔二〇〇二年十二月に新聞掲載された特集記事を再編集した〕
（第九部担当・篠田丈晴、岸本佳子）

文庫版あとがき

二〇〇四年五月初め、アメリカ・シカゴで開かれた国際赤ちゃん学会（International Conference on Infant Studies）で、私は産経新聞の連載「新・赤ちゃん学」について報告する機会に恵まれた。二年に一度、世界中から乳児研究者が集まるこの学会で、「最先端の赤ちゃん研究の成果を子育て中の親たちに情報発信するのは新聞社として重要な役割」などと訴えた。会場で関係者に話を聞いた限り、欧米では研究を育児現場にフィードバックさせるのには慎重で、産経新聞社が日本赤ちゃん学会とともに、研究者が母親たちに語りかけ、質問に応じる双方向型の「新・赤ちゃん学国際シンポジウム」を毎年開催していることは、驚きをもって注目された。昨今、脳研究に絡《から》めて早期教育の派手な広告もあふれ、情報が独り歩きしているような気がしてならない。実証されていないことが育児・教育に取り入れられることほど危ういことはない。だからこそ、手を変え、品を変え、「新・赤ちゃん学」を続けていくことに意味があるのだと思っている。

＊

私たちの取材は試行錯誤の中で始まった。赤ちゃん学という学問領域があることを知っていても、当初は何から手をつけていいのか、正直わからなかった。安易にも「とりあえず世界の研究室を訪ねよう」と、この領域の先進地域である欧米の研究者を取材することからスタートした。そして、取材を始めると新鮮なことばかりで、好奇心旺盛《おうせい》な記者たちの取材意欲を駆り立てていった。ことば、テレビ、母乳、心、運動などテーマも多岐にわたった。あやふやな情報をもとにした実用記事があふれる中、親の関心の高い育児法について、国内外の研究者に取材し、その善し悪《あ》しを科学的に検証してきたつもりだ。それが蓄積され、二〇〇二年一月から十二月までの一年間の連載が『赤ちゃん学を知っていますか？』として、新潮社から出版された。

＊

連載は二年目から日本人研究者が自身の研究成果を紹介する「私の研究室から」に衣替えした。彼ら研究者たちの共通した悩みは、「被験者になる赤ちゃんが集まらない」。しかし、子供の問題を科学的に解明するためには赤ちゃんのときから調べる必要がある。親にしてみれば、自分の子がどんなふうに調べられるのか、危険はないのかなど不安がある。それは、実際に赤ちゃん研究室でどんな実験・観察が行われているのか、ほとんど知られていないからなのかもしれない。「私の研究室から」では約二年間にわたって十二人の研究者が書きつづった。遠い存在だった研究室を少しだけ親たちの側に引き寄せられたのではないだろうか。

二〇〇五年四月からは少し趣向を変えてみた。アジアの国々で日常的に行われている伝統的な育児に目を向け、マレーシアとタイ、台湾を訪ねて、日本人が忘れかけている出産や育児の風景を二〇〇六年三月までリポートした（一部大阪本社発行分のみ掲載）。文化人類学的、社会学的にアプローチしており、欧米一辺倒の日本の育児情報を見直すいいきっかけになればと考えている。

紙面に連動するような形で、国際シンポジウムも東京と大阪で毎年開催してきた。二〇〇二年は赤ちゃんの不思議を解き明かし、二〇〇三年にはその可能性を探った。そして、二〇〇四年は「コミュニケーション」、二〇〇五年は「子育てを科学する」がそれぞれテーマとなった。世界トップクラスの赤ちゃん研究者を毎回招き、基調講演だけでなく、会場の母親たちの質問にも答えてもらった。欧米の多くの研究者にとってそんな経験は初めてだったようで、逆に新鮮に受け止められた。二〇〇三年に招いたジョセフ・J・キャンポス氏（アメリカ・カリフォルニア大学バークリー校教授）はそのユニークさに注目し、冒頭で書いたように、翌年の国際赤ちゃん学会で産経新聞の取り組みを報告することになった。

＊

前置きが少し長くなってしまったが、三年前に出た単行本『赤ちゃん学を知っていますか?』がこのたび文庫化されることになった。これに伴い、二〇〇三年六月に集中連載した「知覚も育つ」（第七部）を新たに追加したほか、内容も一部修正した。研究者の肩書きは、取材時のままとさせていただいた。

二〇〇六年、産経新聞の「新・赤ちゃん学」は五年目を迎えた。六月には京都で欧米以外では初となる国際赤ちゃん学会が開かれる。文庫化もされる。ある意味で節目の年になった。取材班のメンバーも替わり、連載当初から残っているのは、私と岸本佳子記者（大阪本社文化部）の二人になった。

脳科学の進歩もあり、赤ちゃん学は日進月歩だが、研究者はなお慎重だ。断片的な情報をとらえて早期教育などに利用されることに不安を抱く。私たち取材班はこれからも最先端の成果に目を光らせながら、正確な情報をわかりやすく読者に伝えていきたい。未来を担《にな》う赤ちゃんを知ることで、ヒトをもっと知るために。なお、文庫化に際しては、新潮社の田中久子さんにお世話になったことをお礼申し上げたい。

二〇〇六年三月

産経新聞「新・赤ちゃん学」取材班　篠田丈晴
（大阪本社文化部）

赤ちゃん理解の急速な進歩と赤ちゃん学

榊原洋一

私が医学部の学生だったころ、赤ちゃんについては次のようなことが本気で信じられていました。

生まれたばかりの赤ちゃんは目が見えない
赤ちゃんの脳は真っ白ななんにも描かれていない板のようなものだ
赤ちゃんは痛みの感覚が鈍い（鈍感だ）
生まれたばかりの赤ちゃんは中脳動物だ

本書を読まれた方は、こうした考え方が間違っていることをすでに知っておられるわけですが、それがわかってきたのは、最近のことなのです。

私たち大人が、視力を調べることができるのは、言葉を使ったコミュニケーションが可能だからです。視力検査表の書かれている字や記号が読めれば、その字や記号の名前を言うことによって、その人が「見えている」ことが他人にも理解できるのです。そんな当たり前のことを何で言うのだろうと思われる方もいるでしょう。

こんな経験があります。私の勤務していた病院に、外国人の患者さんが来院されました。就職のための健康診断が必要だったのですが、この患者さんは日本語はもちろん英語もしゃべれませんでした。視力検査を行うときに大きな問題が持ち上がりました。日本で使われている視力表には、字（かな）と絵（鳥や犬）、そしてさまざまな方向に切れ目がある円環（ランドルト環）が示されています。字を読むことのできない幼児でも、動物の名前を正しく言うことができれば、きちんと見えている証拠になります。この外国の患者さんは、もちろんかなを読むことはできません。英語ができれば、動物の名前を英語で言っていただければ、幼児と同様に視力を判定することができます。しかしそれもかないません。ランドルト環が大きく書かれた板があったので、その切れている方向を示すように身振り手振りでお教えしたのですが、「どちらの方向ですか」と身振りで聞いても、その方は「これが書かれています」とばかりにランドルト環の書かれている板を検査者に差し出すだけで、方向を示すことが理解できませんでした。赤ちゃんの視力を測る、というのは、この外国人の視力を測るようなものなのです。外国人の場合はそれでも、通訳を使えば問題は解決します。しかし、もともと「赤ちゃん語」をしゃべるわけではない赤ちゃんの視力を測るのは先人のさまざまな工夫のおかげなのです。

こうした工夫のひとつが、さまざまな条件下での赤ちゃんの行動の仔細《しさい》な観察です。視力が測れるようになったのは、どんな赤ちゃんにも、何も模様がない対象物より、縞《しま》模様がある対象物を長く見つめる習性があることが見出《みいだ》されてきたからです。なぜ、縞模様のほうを長く見つめるのかその理由はわかりません。しかし理由はわかりませんが、とにかくどんな赤ちゃんでも一様に、縞模様のついている対象物を、そうでない対象物より長くじっと見つめるということが多くの研究者によって確認されたのです。

縞模様のついた板と、なにも書かれていない板を赤ちゃんにみせます。太い縞模様であれば確実にどんな赤ちゃんでも、その縞模様の描かれた板を長く見つめます。そこで縞模様を次第に細くしてゆくとどうなるでしょうか。赤ちゃんにそれが縞模様であることが認識できている間は、そちらを長く見つめます。縞模様が細かくなり、縞は見えずにただ一様に灰色の板としか見えなくなったときに、赤ちゃんは細かい縞模様のついた板と、灰色の板を見つめる時間に差がなくなるのです。

こうした工夫の結果、生まれたばかりの赤ちゃんは、大人ほど鮮明には見えないが、ちゃんと視力があることが明らかになってきたのです。赤ちゃんのテレビ画像注視についての多賀先生の研究など、赤ちゃんの行動特性を利用してさまざまな赤ちゃんの能力が明らかになりつつあります。

そしてもうひとつの工夫が、本書のあちこちで紹介されている、脳科学的な検査法を応用した方法の開発です。脳波や光トポグラフィーといった、検査されている本人に痛みや害のまったくない方法で、さまざまな感覚刺激が赤ちゃんの脳内に引き起こす変化（脳波、血流）を画像としてみることができるようになりました。本書の中で紹介されているメレールさんの研究は、最初にあげた二つ目の誤解を解くカギともなる研究です。もし、赤ちゃんの脳に、出来上がった神経回路がなく、すべて経験によって回路が形成されてゆくのなら、生まれたばかりの赤ちゃんに人間の言葉を聞かせても、左右大脳半球に起こる変化に差はないはずです。ところが、メレールさんが光トポグラフィーを使って行った研究が明らかにしたことは、生まれたばかりの赤ちゃんでも、言葉を聞くと言語中枢《ちゅうすう》のある左大脳半球の血流が増加するのです。これは、すでに赤ちゃんの脳の中に、機能分担があるということを示しています。赤ちゃん自身は何も知らないのかもしれませんが、赤ちゃんの脳はあたかも言葉を聞くことが当然のように、生まれたときから準備ができているのです。

赤ちゃんは痛みの感覚が鈍い、ということも新生児を専門とする小児科医の間で長い間信じられてきました。これも、新生児に痛みを確認する方法がないために、そう思い込んできたのです。注射などの処置をしたときに、あまり泣かなかったりすることがあるのも、そうした「思い込み」を助長する背景にあったと思います。ですから、医療上必要だという理由はあるにせよ、私も含めた小児科医は、新生児・未熟児に麻酔をかけたりすることなしに、痛い検査を行ってきました。本人が痛いといわないから、痛くないはずだ、というのは、まったく手前勝手な大人の論理であることも、赤ちゃん研究の結果わかってきました。

最後の「中脳動物である」という誤解には、すこし説明が必要かもしれません。私たち人間の感覚や言語、運動の中枢は大脳半球にあります。中脳とは、大脳半球より脳の内部で脳幹部に近いところにつけられた名前です。この中脳には、さまざまな反射の中枢があることが知られています。生まれたばかりの赤ちゃんに見られる原始反射と呼ばれるさまざまな姿勢反射の中枢の多くがこの中脳にあります。新生児は中脳動物である、ということは、新生児の運動はすべて反射運動である、というのと同じことです。しかし本書を読まれた皆さんはすでに、胎児期から赤ちゃんは反射運動以外のジェネラル・ムーブメントを獲得していることを知っておられます。そうした反射運動の影に隠れているとはいえ、赤ちゃんの運動は生まれたときからきわめて洗練されているのです。

こうした誤解は、赤ちゃんが「何もわからず、なにもできない」存在であるという一種の「神話」を作り出してきました。赤ちゃんは、ただ泣いて母乳・ミルクを飲み、眠っているだけだ、という誤解も同様です。

しかし、この乳児期に赤ちゃんは、自分の世界の様子を観察し、周りの人がしゃべる言葉を聞き、他人の顔の表情を理解するようになります。つまり赤ちゃんは、きわめて敏感で能動的な存在なのです。

本書は、そうした赤ちゃんの敏感な能力について紹介しているだけではありません。そういった赤ちゃんの実際の育児にまつわる誤解や無理解についても、さまざまな事例を紹介しています。いまや乳児でも一日に二時間は見ているとされるテレビやビデオの影響について、多くのスペースを割いて研究の現状を紹介しています。テレビの乳幼児の発達への影響についてはまだわからないことがたくさんありますが、ひとつだけ確実なことは、もはや「赤ちゃんは何もわかっていないから、どんな番組を見せても影響はない」といった見方は誤っているということです。

成育環境が赤ちゃんに及ぼす影響は、単純な音や画像をみせるという実験によって明らかになった赤ちゃんの能力と異なり、長時間にわたる多数の環境刺激が赤ちゃんの発達に与える影響を証明する必要があります。その端緒については本書の中で紹介されていますが、多数の赤ちゃんを長時間にわたって追跡調査するコホート研究などによる確証を待つ必要があります。

赤ちゃんの能力についての明るい話題だけが、本書のテーマではありません。今全国の親や小児科医、保育者を悩ませている、乳幼児突然死症候群、虐待《ぎゃくたい》との関連が強い揺さぶられっ子症候群、そして現在も増え続けるアトピー性疾患の現状が紹介されています。

これまでは、赤ちゃんの体と心の発達とその問題については、小児科学、発達心理学、脳科学などの既存の学問体系のなかで別個に扱われてきました。専門分野間の壁をとりはらい、さまざまな関連分野の研究者、保育関係者、そして子育て中の親が赤ちゃんの全体像について考え研究するというのが「赤ちゃん学」という新しい学問分野が創設された理由です。本書は、そうした赤ちゃん学の現状と、向かうべき方向性を一般の方にもわかりやすく解説した優れた入門書ということができるでしょう。

（二〇〇六年四月、お茶の水女子大学教授）

日本赤ちゃん学会へのお問い合わせ

・ホームページ　http://www.crn.or.jp/LABO/BABY/

・日本赤ちゃん学会本部事務局

〒162−8666　東京都新宿区河田町８−１

東京女子医科大学　乳児行動発達学講座内

TEL：03−5919−2285

FAX：03−5919−2286

E-mail：akachan_gakkai@abmes.twmu.ac.jp

この作品は、産経新聞に二〇〇二年一月から十二月まで断続連載され、二〇〇三年五月新潮社より刊行された。新潮文庫化にあたり加筆・修正したが、肩書きは取材時のままとした。

さくらももこ著
さくらえび
父ヒロシに幼い息子、ももこのすっとこどっこいな日常のオールスターが勢揃い！　奇跡の爆笑雑誌「富士山」からの粒よりエッセイ。

さくらももこ著
そういうふうにできている
ちびまる子ちゃん妊娠!?　お腹の中には宇宙生命体＝コジコジが!?期待に違わぬスッタモンダの産前産後を完全実況、大笑い保証付！

さくらももこ著
またたび
世界中のいろんなところに行って、いろんな目にあってきたよ！　伝説の面白雑誌『富士山』（全5号）からよりすぐった抱腹珍道中！

さくらももこ著
憧れのまほうつかい
17歳のももこが出会って、大きな影響をうけた絵本作家ル・カイン。憧れの人を訪ねる珍道中を綴った、涙と笑いの桃印エッセイ。

西原理恵子著
パーマネント野ばら
恋をすればええやんか。どんな恋でもないよりましやん。俗っぽくてだめだめな恋に宿る、可愛くて神聖なきらきらを描いた感動作！

最相葉月著
星新一（上・下）
―一〇〇一話をつくった人―
大佛次郎賞・講談社ノンフィクション賞受賞
大企業の御曹司として生まれた少年は、いかにして今なお愛される作家となったのか。知られざる実像を浮かび上がらせる評伝。

清　邦彦編著

女子中学生の小さな大発見

疑問と感動こそが「理科」のはじまり——。現役女子中学生が、身の周りで見つけた「不思議」をぎっしり詰め込んだ、仰天レポート集。

安保　徹著

病気は自分で治す
—免疫学101の処方箋—

病気の本質を見極め、自分の「生き方」から見直していく——安易に医者や薬に頼らずに自己治癒できる方法を専門家がやさしく解説。

池谷裕二
糸井重里著

海　馬
—脳は疲れない—

脳と記憶に関する、目からウロコの集中対談。「物忘れは老化のせいではない」「30歳から頭はよくなる」など、人間賛歌に満ちた一冊。

斎藤　学著

家族依存症

いわゆる「良い子」、「理想的な家庭」ほど、現代社会の深刻な病理〝家族依存症〟に蝕まれている。新たな家族像を見直すための一冊。

大平　健著

診療室にきた赤ずきん
—物語療法の世界—

赤ずきん、ねむりひめ、幸運なハンス、ももたろう……あなたはどの話の主人公？　精神科医が語る昔話や童話が、傷ついた心を癒す。

大平　健
倉田真由美著

こころの薬
—幸せになれる診療室—

解決できない問題《ストレス》はない！　人生の酸いも甘いも観察し続けてきた精神科医と漫画家による、心が前向きになる対談エッセイ。

桂　文珍著
落語的笑いのすすめ

文珍師匠が慶大の教壇に立った！「笑い」を軸に分析力、発想力を伝授する哲学的お笑い論。爆笑しながらすらすらわかる名講義。

河合隼雄著
働きざかりの心理学

「働くこと＝生きること」働く人であれば誰しもが直面する人生の〝見えざる危機〟を心身両面から分析。繰り返し読みたい心のカルテ。

河合隼雄ほか著
こころの声を聴く
――河合隼雄対話集――

山田太一、安部公房、谷川俊太郎、白洲正子、沢村貞子、遠藤周作、多田富雄、富岡多恵子、村上春樹、毛利子来氏との著書をめぐる対話集。

河合隼雄著
こころの処方箋

「耐える」だけが精神力ではない、「理解ある親」をもつ子はたまらない――など、疲弊した心に、真の勇気を起こし秘策を生みだす55章。

河合隼雄著
猫だましい

心の専門家カワイ先生は実は猫が大好き。古今東西の猫本の中から、オススメにゃんこを選んで、お話しいただきました。

河合隼雄
村上春樹著
村上春樹、河合隼雄に会いにいく

アメリカ体験や家族問題、オウム事件と阪神大震災の衝撃などを深く論じながら、ポジティブな新しい生き方を探る長編対談。

河合隼雄
吉本ばなな著

なるほどの対話

個性的な二人のホンネはとてつもなく面白く、ふかい！ 対話の達人と言葉の名手が、自分のこと、若者のこと、仕事のことを語り尽す。

佐々木志穂美著

さん さん さん
—障害児3人 子育て奮闘記—

授かった3人の息子はみな障害児。事件の連続のような日常から、ユーモラスな筆致で珠玉の瞬間を掬い上げた5人家族の成長の記録。

黒柳徹子著

トットの欠落帖

自分だけの才能を見つけようとあらゆる事に努力挑戦したトットのレッテル「欠落人間」。いま噂の魅惑の欠落ぶりを自ら正しく伝える。

黒柳徹子著

小さいときから考えてきたこと

小さいときからまっすぐで、いまも女優、ユニセフ親善大使として大勢の「かけがえのない人々」と出会うトットの私的愛情エッセイ。

佐渡裕著

僕はいかにして指揮者になったのか

小学生の時から憧れた巨匠バーンスタインとの出会いと別れ——いま最も注目される世界的指揮者の型破りな音楽人生。

いとうせいこう著

ボタニカル・ライフ
—植物生活—
講談社エッセイ賞受賞

都会暮らしを選び、ベランダで花を育てる「ベランダー」。熱心かついい加減な、「ガーデナー」とはひと味違う「植物生活」全記録。

高山文彦著
「少年A」14歳の肖像
一億人を震撼させた児童殺傷事件。少年Aに巣喰った酒鬼薔薇聖斗はどんな環境の為せる業か。捜査資料が浮き彫りにする家族の真実。

飯島夏樹著
天国で君に逢えたら
患者の心の叫びを代筆する〃手紙屋〃を巡る、愛と笑いと涙の人間模様。末期ガンの世界的ウィンドサーファーが綴った奇跡の物語。

日高敏隆著
春の数えかた
日本エッセイストクラブ賞受賞
生き物はどうやって春を知るのだろう。虫たちは三寒四温を計算して春を待っている。著名な動物行動学者の、発見に充ちたエッセイ。

池上彰著
ニュースの読み方使い方
〃難解に思われがちなニュースを、できるだけやさしく噛み砕く〃をモットーに、著者がこれまで培った情報整理のコツを大公開!

幕内秀夫著
粗食のすすめ
アトピー、アレルギー、成人病の蔓延。欧米型の食生活は日本人を果たして健康にしたのか。日本の風土に根ざした食生活を提案する。

多田富雄
南伸坊著
免疫学個人授業
ジェンナーの種痘からエイズ治療など最先端の研究まで——いま話題の免疫学をやさしく楽しく勉強できる、人気シリーズ第2弾!

平松洋子著

平松洋子の台所

電子レンジは追放！　鉄瓶の白湯、石釜で炊くごはん、李朝の灯火器……暮らしの達人が綴る、愛用の台所道具をめぐる59の物語。

小澤征爾著

ボクの音楽武者修行

〝世界のオザワ〟の音楽的出発はスクーターでのヨーロッパ一人旅だった。国際コンクール入賞から名指揮者となるまでの青春の自伝。

小澤征爾
武満徹著

音楽

音楽との出会い、恩師カラヤンやストラヴィンスキーのこと、現代音楽の可能性——日本を代表する音楽家二人の鋭い提言。写真多数。

小澤征爾
広中平祐著

やわらかな心をもつ
—ぼくたちふたりの運・鈍・根—

我々に最も必要なのはナイーブな精神とオリジナリティ、即ち〈やわらかな心〉だ。芸術・学問から教育問題まで率直自由に語り合う。

柳田国男著

日本の伝説

かつては生活の一部でさえありながら今は語り伝える人も少なくなった伝説を、全国から採集し、美しい文章で世に伝える先駆的名著。

柳田国男著

日本の昔話

「藁しべ長者」「聴耳頭巾」——私たちを育んできた昔話の数々を、民俗学の先達が各地から採集して美しい日本語で後世に残した名著。

ここまできた新常識

赤《あか》ちゃん学《がく》を知《し》っていますか？

新潮文庫　さ‐50‐2

平成十八年六月一日発行
平成二十三年六月五日十三刷

著者　産経新聞《さんけいしんぶん》「新《しん》・赤《あか》ちゃん学《がく》」取材班《しゅざいはん》
発行者　佐藤隆信
発行所　株式会社　新潮社
郵便番号　一六二―八七一一
東京都新宿区矢来町七一
電話　編集部(〇三)三二六六―五四四〇
　　　読者係(〇三)三二六六―五一一一
http://www.shinchosha.co.jp

価格はカバーに表示してあります。

乱丁・落丁本は、ご面倒ですが小社読者係宛ご送付ください。送料小社負担にてお取替えいたします。

印刷・二光印刷株式会社　製本・憲専堂製本株式会社

ISBN978-4-10-145532-7 C0177